FUNDAMENTOS DE MATEMÁTICA

O selo DIALÓGICA da Editora InterSaberes faz referência às publicações que privilegiam uma linguagem na qual o autor dialoga com o leitor por meio de recursos textuais e visuais, o que torna o conteúdo muito mais dinâmico. São livros que criam um ambiente de interação com o leitor – seu universo cultural, social e de elaboração de conhecimentos –, possibilitando um real processo de interlocução para que a comunicação se efetive.

FUNDAMENTOS DE MATEMÁTICA

Ana Paula de Andrade Janz Elias
Denise Therezinha Rodrigues Marques Wolski
Flavia Sucheck Mateus da Rocha
Otto Henrique Martins da Silva
Paulo Martinelli
Taniele Loss
Zaudir Dal Cortivo

Rua Clara Vendramin, 58 – Mossunguê
CEP 81200-170 – Curitiba – PR – Brasil
Fone: (41) 2106-4170
www.intersaberes.com
editora@editoraintersaberes.com.br

Conselho editorial
Dr. Ivo José Both (presidente)
Dr.ª Elena Godoy
Dr. Neri dos Santos
Dr. Ulf Gregor Baranow

Editora-chefe
Lindsay Azambuja

Gerente editorial
Ariadne Nunes Wenger

Preparação de originais
Fabrícia E. de Souza

Edição de texto
Caroline Rabelo Gomes

Capa
Sílvio Gabriel Spannenberg

Projeto gráfico
Sílvio Gabriel Spannenberg
Kátia Priscila Irokawa

Diagramação
Sincronia Design

Equipe de design
Sílvio Gabriel Spannenberg
Mayra Yoshizawa

Iconografia
Célia Kikue Suzuki
Regina Claudia Cruz Prestes

Dados Internacionais de Catalogação na Publicação (CIP)
(Câmara Brasileira do Livro, SP, Brasil)

Fundamentos de matemática. Curitiba: InterSaberes, 2020. (Série Matemática em Sala de Aula)

Vários autores.
Bibliografia.
ISBN 978-65-5517-018-4

1. Matemática – Estudo e ensino I. Série.

20-34097   CDD-510.7

Índices para catálogo sistemático:

1. Matemática: Estudo e ensino   510.7

Cibele Maria Dias – Bibliotecária – CRB-8/9427

1ª edição, 2020.
Foi feito o depósito legal.

Informamos que é de inteira responsabilidade dos autores a emissão de conceitos.

Nenhuma parte desta publicação poderá ser reproduzida por qualquer meio ou forma sem a prévia autorização da Editora InterSaberes.

A violação dos direitos autorais é crime estabelecido na Lei n. 9.610/1998 e punido pelo art. 184 do Código Penal.

Sumário

7   *Apresentação*
9   *Como aproveitar ao máximo este livro*

15 **Capítulo 1 – Trigonometria nos triângulos**
16 1.1 Proporcionalidade e semelhança entre triângulos
27 1.2 Relações métricas no triângulo retângulo
31 1.3 Razões trigonométricas nos triângulos
41 1.4 Lei dos senos
43 1.5 Leis dos cossenos
45 1.6 Área de um triângulo qualquer

55 **Capítulo 2 – Equações exponenciais e logarítmicas**
55 2.1 Potenciação
62 2.2 Equação exponencial
65 2.3 Inequações exponenciais
67 2.4 Logaritmo
74 2.5 Equações logarítmicas
75 2.6 Inequações logarítmicas

83 **Capítulo 3 – Sequências numéricas**
83 3.1 Conceito de sequência
87 3.2 Progressão aritmética
98 3.3 Progressão geométrica

111 **Capítulo 4 – Trigonometria no ciclo trigonométrico**
111 4.1. Arcos e ângulos
115 4.2 Ciclo trigonométrico
118 4.3 Razões trigonométricas na circunferência
131 4.4 Equações e inequações trigonométricas
136 4.5 Relações e transformações trigonométricas

149	**Capítulo 5 – Geometria plana**
149	5.1 Conceito de polígono
150	5.2 Quadriláteros notáveis
156	5.3 Polígonos regulares
158	5.4 Circunferência – circunferência inscrita e circunscrita a polígonos regulares
165	5.5 Perímetro de figuras planas
166	5.6 Áreas de figuras planas
179	**Capítulo 6 – Geometria espacial**
180	6.1 Poliedro
182	6.2 Prisma
187	6.3 Pirâmide
192	6.4 Cilindro
195	6.5 Cone
199	6.6 Esfera
209	*Considerações finais*
210	*Referências*
211	*Bibliografia comentada*
212	*Respostas*
218	*Sobre os autores*

Apresentação

Esta obra se destina a estudantes e interessados na área de exatas que desejam conhecer alguns conceitos fundamentais relacionados à matemática abordada nos ensinos fundamental e médio.

Com um viés contextualizado, cada capítulo direciona seus conteúdos por meio da resolução de problemas, colocados como exemplos. Além disso, há exercícios propostos que valorizam situações cotidianas.

No Capítulo 1, apresentaremos o conteúdo de trigonometria nos triângulos. Iniciaremos a abordagem do tema com o conceito de proporcionalidade e semelhança.

No Capítulo 2, trataremos das equações exponenciais e logarítmicas, assuntos relevantes e fundamentais para o conhecimento de funções, inclusive em disciplinas como Cálculo Diferencial e Integral.

Já no Capítulo 3, o leitor conhecerá mais sobre sequências numéricas. Esse capítulo apresentará menções históricas que indicam a matemática como criação humana. São apresentadas as progressões aritméticas e geométricas.

No Capítulo 4, abordaremos a trigonometria no ciclo trigonométrico. Assim como acontecerá no Capítulo 2, os temas servirão de base para o estudo das funções trigonométricas em outras disciplinas.

Nos Capítulos 5 e 6 versaremos sobre a geometria plana e a espacial, respectivamente, com cálculos de áreas e volumes.

Por fim, desejamos que este livro possa contribuir com a construção do conhecimento matemático de todos os seus leitores.

Bons estudos!

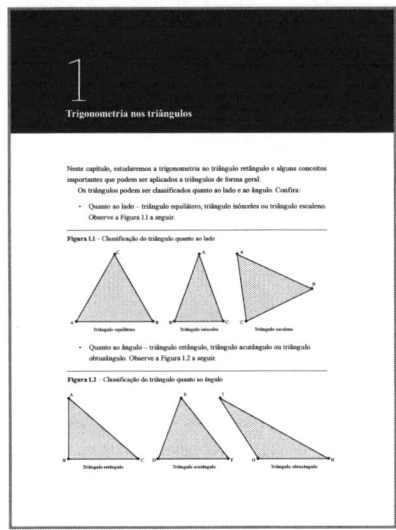

Introdução do capítulo
Logo na abertura do capítulo, informamos os temas de estudo e os objetivos de aprendizagem que serão nele abrangidos, fazendo considerações preliminares sobre as temáticas em foco.

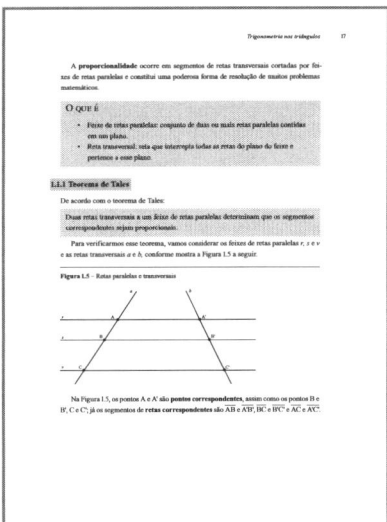

O que é
Nesta seção, destacamos definições e conceitos elementares para a compreensão dos tópicos do capítulo.

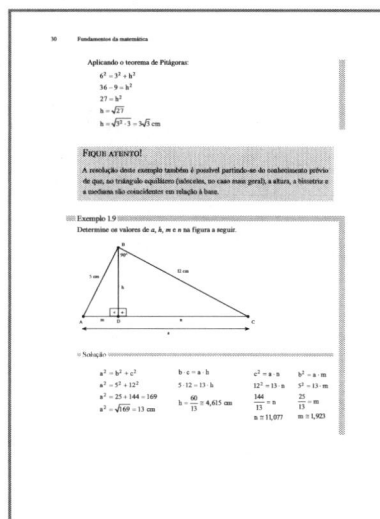

Fique atento!

Ao longo de nossa explanação, destacamos informações essenciais para a compreensão dos temas tratados nos capítulos.

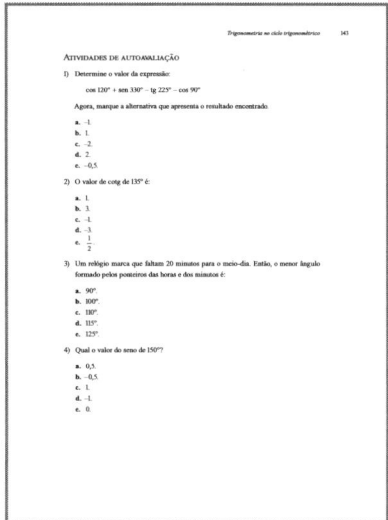

Atividades de autoavaliação

Apresentamos estas questões objetivas para que você verifique o grau de assimilação dos conceitos examinados, motivando-se a progredir em seus estudos.

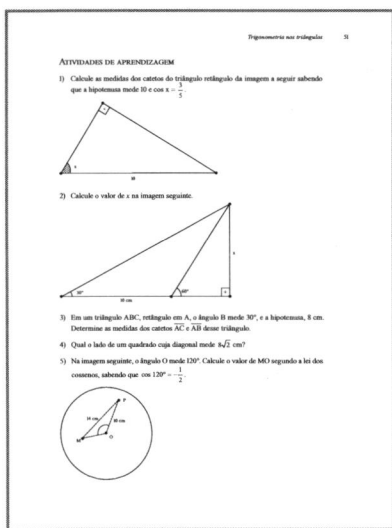

Atividades de aprendizagem

Aqui apresentamos questões que aproximam conhecimentos teóricos e práticos a fim de que você analise criticamente determinado assunto.

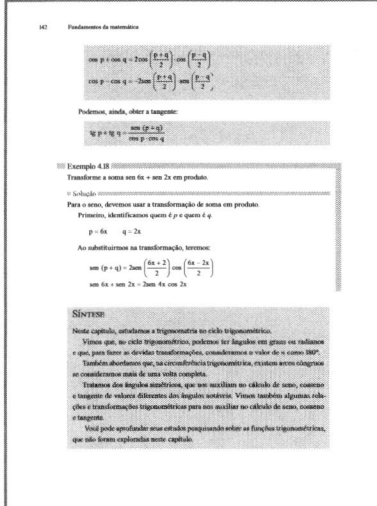

Síntese

Ao final de cada capítulo, relacionamos as principais informações nele abordadas a fim de que você avalie as conclusões a que chegou, confirmando-as ou redefinindo-as.

Bibliografia comentada

Nesta seção, comentamos algumas obras de referência para o estudo dos temas examinados ao longo do livro.

AXLER, S. **Pré-cálculo**: uma preparação para o cálculo. Tradução e revisão técnica de Maria Cristina Varriale e Naira Maria Balzaretti. 2. ed. Rio de Janeiro: LTC, 2016.

> O livro trata de diversos conceitos fundamentais da matemática, iniciando com a exploração do conjunto dos números reais. Além de abordar as equações e as funções, apresenta conceitos de séries e sequências, limites e sistemas de equações lineares. É uma obra bastante completa para o aluno que está iniciando seus estudos na área de exatas.

ROCHA, A; MACEDO, L. R. D.; CASTANHEIRA, N. P. **Tópicos de matemática aplicada**. Curitiba: InterSaberes, 2012. (Série Matemática Aplicada).

> Nessa obra, os autores exploram conceitos elementares de matemática. Abordam, ainda, conteúdos introdutórios (como conjuntos, operações, expressões e equações) e trabalham as funções e suas aplicações. O leitor pode também iniciar os estudos de cálculo diferencial e integral, conhecendo os limites e as derivadas.

MUNARETTO, A. C. **Descomplicando**: um novo olhar sobre a matemática elementar. Curitiba: InterSaberes, 2018. (Série Matemática em Sala de Aula).

> A obra traz conceitos básicos sobre conjuntos e conjuntos numéricos, equações, inequações, relações e funções. O leitor pode verificar diversos exemplos sobre o conteúdo explorado, além de praticar exercícios. As funções elementares aparecem no último capítulo do livro. Nele, o leitor pode fazer um paralelo entre equações polinomiais, trigonométricas, logarítmicas e exponenciais com o estudo das respectivas funções.

Otto Henrique Martins da Silva
Denise Therezinha Rodrigues Marques Wolski

1
Trigonometria nos triângulos

Neste capítulo, estudaremos a trigonometria no triângulo retângulo e alguns conceitos importantes que podem ser aplicados a triângulos de forma geral.

Os triângulos podem ser classificados quanto ao lado e ao ângulo. Confira:

- Quanto ao lado – triângulo equilátero, triângulo isósceles ou triângulo escaleno. Observe a Figura 1.1 a seguir.

Figura 1.1 – Classificação do triângulo quanto ao lado

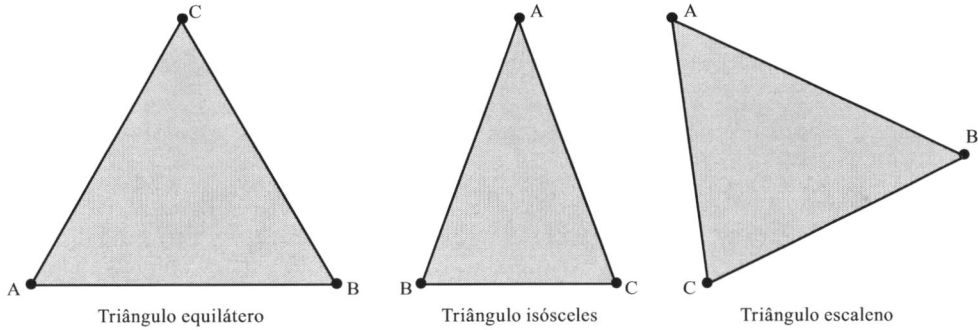

- Quanto ao ângulo – triângulo retângulo, triângulo acutângulo ou triângulo obtusângulo. Observe a Figura 1.2 a seguir.

Figura 1.2 – Classificação do triângulo quanto ao ângulo

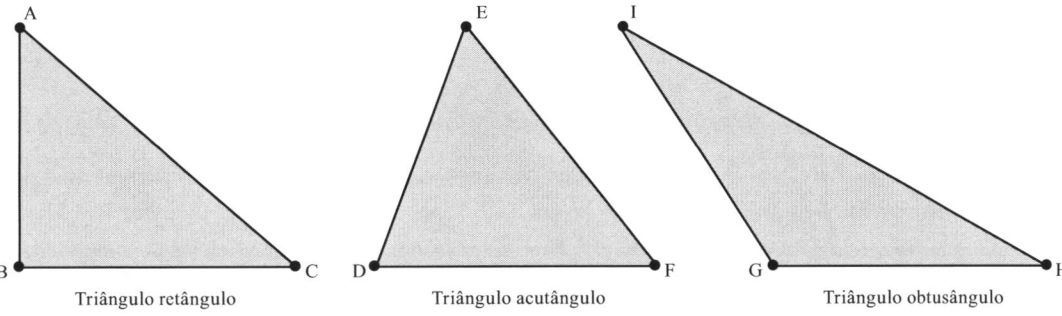

Iniciaremos com a apresentação da proporcionalidade e da semelhança entre triângulos. Em seguida, trataremos das relações métricas no triângulo retângulo, inclusive o teorema de Pitágoras e as razões trigonométricas e abordaremos a lei dos senos, a lei dos cossenos e o cálculo de áreas de um triângulo qualquer.

1.1 Proporcionalidade e semelhança entre triângulos

Costumamos usar os termos *proporcional* e *semelhante* para descrever objetos, medidas e grandezas. Você sabe quais são as condições para afirmarmos que existe semelhança entre duas figuras? Vamos conhecer essas características.

A ideia de proporcionalidade é bastante utilizada no dia a dia, principalmente quando comparamos figuras com formas semelhantes, como os quadrados A e B da Figura 1.3 a seguir.

Figura 1.3 – Quadrados semelhantes

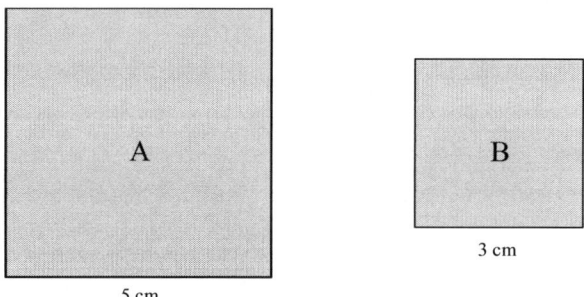

Essas figuras serão **semelhantes** se houver uma relação de proporcionalidade entre os lados homólogos. Por exemplo, a razão de semelhança entre os quadrados A e B é $\dfrac{5\text{ cm}}{3\text{ cm}} = \dfrac{5}{3}$, pois dois quadrados quaisquer sempre serão semelhantes.

No entanto, dois retângulos serão semelhantes se a razão entre as medidas dos lados homólogos forem iguais, como ocorre na Figura 1.4 a seguir, ou seja, a razão de semelhança entre os retângulos C e D é $\dfrac{5\text{ cm}}{2\text{ cm}} = \dfrac{10\text{ cm}}{4\text{ cm}} = 2,5.$

Figura 1.4 – Retângulos semelhantes

A **proporcionalidade** ocorre em segmentos de retas transversais cortadas por feixes de retas paralelas e constitui uma poderosa forma de resolução de muitos problemas matemáticos.

O QUE É

- Feixe de retas paralelas: conjunto de duas ou mais retas paralelas contidas em um plano.
- Reta transversal: reta que intercepta todas as retas do plano do feixe e pertence a esse plano.

1.1.1 Teorema de Tales

De acordo com o teorema de Tales:

Duas retas transversais a um feixe de retas paralelas determinam que os segmentos correspondentes sejam proporcionais.

Para verificarmos esse teorema, vamos considerar os feixes de retas paralelas r, s e v e as retas transversais a e b, conforme mostra a Figura 1.5 a seguir.

Figura 1.5 – Retas paralelas e transversais

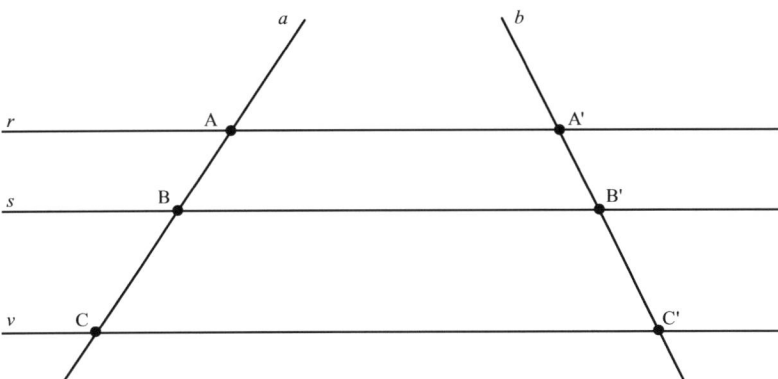

Na Figura 1.5, os pontos A e A' são **pontos correspondentes**, assim como os pontos B e B', C e C'; já os segmentos de **retas correspondentes** são $\overline{AB}$ e $\overline{A'B'}$, $\overline{BC}$ e $\overline{B'C'}$ e $\overline{AC}$ e $\overline{A'C'}$.

Segundo o teorema de Tales, temos as seguintes relações:

$$\frac{\overline{AB}}{\overline{BC}} = \frac{\overline{A'B'}}{\overline{B'C'}} \tag{1}$$

$$\frac{\overline{AC}}{\overline{AB}} = \frac{\overline{A'C'}}{\overline{A'B'}} \tag{2}$$

$$\frac{\overline{AC}}{\overline{BC}} = \frac{\overline{A'C'}}{\overline{B'C'}} \tag{3}$$

Vamos provar o teorema com base na relação 1. Para isso, considere que $\overline{AB}$ e $\overline{BC}$ correspondem a segmentos comensuráveis de medida x, ou seja, existem números inteiros m e n, de modo que $AB = m \cdot x$ e $BC = n \cdot x$, conforme mostra a Figura 1.6 a seguir. Assim, temos a razão:

$$\frac{\overline{AB}}{\overline{BC}} = \frac{m \cdot x}{n \cdot x} = \frac{m}{n} \tag{I}$$

Figura 1.6 – Retas paralelas e transversais com segmentos comensuráveis

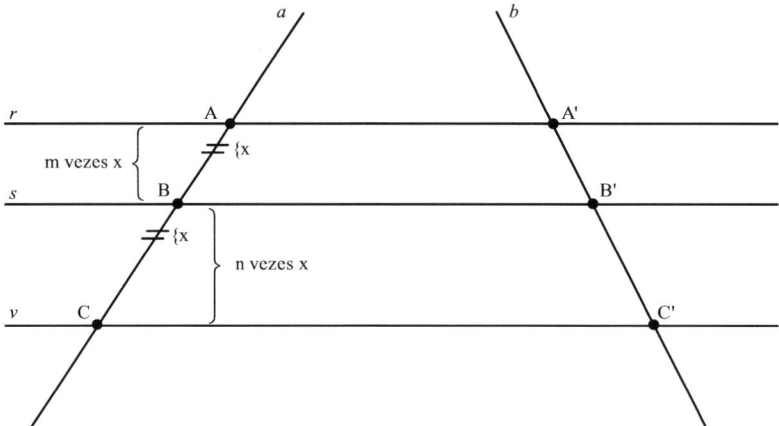

Agora, traçaremos retas pelos pontos de divisão de $\overline{AB}$ e $\overline{BC}$ paralelas a $\overline{AA'}$, conforme mostra a Figura 1.7 a seguir. Assim, temos o segmento $\overline{A'B'}$ em m segmentos iguais, cada um com medida x': $A'B' = m \cdot x'$.

Do mesmo modo, o segmento $\overline{B'C'}$ é dividido em n segmentos iguais de medida x': $B'C' = n \cdot x'$. Portanto, podemos estabelecer a razão:

$$\frac{\overline{A'B'}}{\overline{B'C'}} = \frac{m \cdot x'}{n \cdot x'} = \frac{m}{n} \tag{II}$$

Figura 1.7 – Retas tracejadas

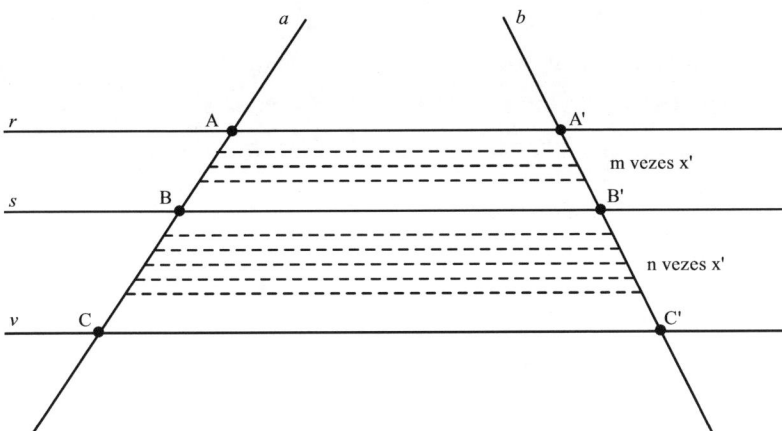

Se compararmos as razões I e II, temos que, $\dfrac{AB}{BC} = \dfrac{A'B'}{B'C'}$.

O teorema de Tales também tem validade se os segmentos $\overline{AB}$ e $\overline{A'B'}$ forem incomensuráveis, ou seja, quando não puderem ser escritos como submúltiplos de segmentos comuns.

Exemplo 1.1

As escalas de temperatura utilizadas no Brasil e nos Estados Unidos são, respectivamente, Celsius (°C) e Fahrenheit (°F), cuja relação pode ser observada a seguir. Determine o valor, na escala Fahrenheit, correspondente a 40 °C.

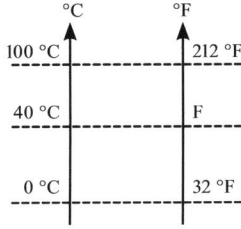

Escalas de temperaturas

Solução

Nesse caso, podemos aplicar o teorema de Tales, considerando as três retas pontilhadas como um feixe de retas paralelas e as retas °C e °F como retas transversais. Assim, temos:

$$\dfrac{100-40}{100-0} = \dfrac{212-F}{212-32} \Rightarrow \dfrac{60}{100} = \dfrac{212-F}{180} \Rightarrow \dfrac{3}{5} = \dfrac{212-F}{180} \Rightarrow F = -\dfrac{3}{5} \cdot 180 + 212 = 104 \ °F$$

1.1.2 Semelhança de triângulos

Os triângulos obedecem aos mesmos critérios de semelhança que os polígonos e, portanto, devem apresentar os lados correspondentes proporcionais e os ângulos internos correspondentes congruentes, como os dois triângulos da Figura 1.8 a seguir.

Figura 1.8 – Semelhança de triângulos

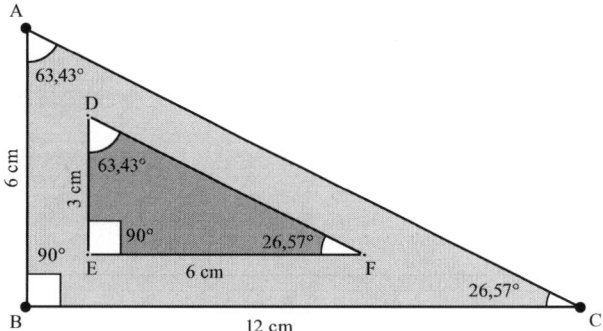

Como $\dfrac{AB}{DE} = \dfrac{BC}{EF} = \dfrac{AC}{DF} = 2$ e os ângulos $\widehat{A} \cong \widehat{D}$, $\widehat{B} \cong \widehat{E}$ e $\widehat{C} \cong \widehat{F}$, podemos afirmar que $\triangle ABC \sim \triangle DEF$ (ou seja, o triângulo ABC é semelhante ao triângulo DEF).

No entanto, para que dois triângulos quaisquer sejam considerados semelhantes, apenas uma dessas condições é necessária, isto é:

> Os lados correspondentes devem ser proporcionais
> Os ângulos internos correspondentes devem ser congruentes

Nesse sentido, podemos estabelecer três casos de semelhanças de triângulos: 1) caso ângulo-ângulo (A.A.); 2) caso lado-ângulo-lado (L.A.L.); e 3) caso lado-lado-lado (L.L.L.), descritos a seguir.

Caso ângulo-ângulo (A.A.)

Nesse caso, dois triângulos quaisquer são semelhantes se, e somente se, apresentarem dois ângulos, respectivamente, congruentes. Observe a Figura 1.9 a seguir.

Figura 1.9 – Semelhança de triângulos: caso A.A.

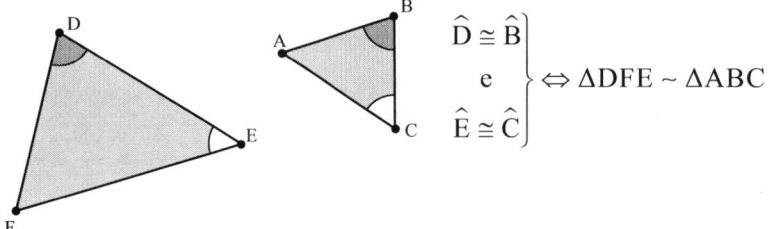

Exemplo 1.2

Um professor de Matemática pediu a seus estudantes que utilizassem um teodolito para verificar o ângulo de inclinação entre um determinado ponto de visão e o topo de uma árvore. O ponto de visão se encontrava a 10 m da base da árvore. Após a determinação do ângulo, os alunos fizeram um desenho utilizando transferidor e régua para estimar a altura da árvore.

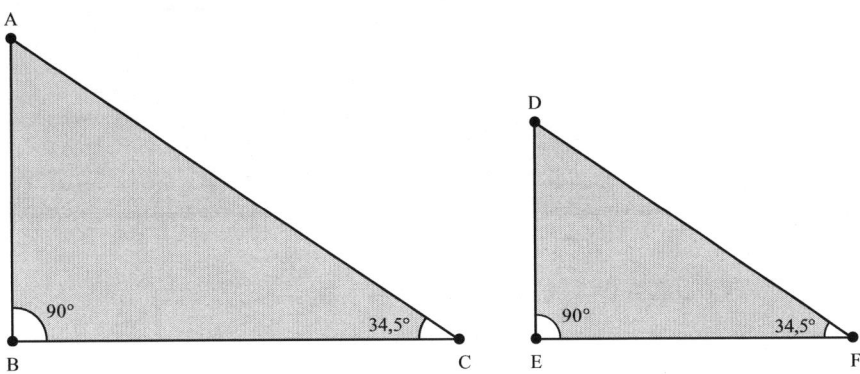

O primeiro triângulo representado indica a situação real de medida da altura da árvore, já o segundo é o triângulo hipotético desenhado pelos estudantes. Assim, perguntamos:

a) Os triângulos podem ser considerados semelhantes?

b) É possível determinar a medida da altura da árvore (h = $\overline{AB}$) sabendo que os segmentos $\overline{DE}$ e $\overline{EF}$ medem, respectivamente, 4,8 cm e 6 cm?

Solução

a) De acordo com o caso A.A., os triângulos são considerados semelhantes, já que têm os ângulos $\hat{B}$ e $\hat{E}$ congruentes, assim como os ângulos $\hat{C}$ e $\hat{F}$.

b) Logo, há semelhança entre os pares de lados $\overline{AB}$ e $\overline{DE}$, $\overline{BC}$ e $\overline{EF}$ e $\overline{AC}$ e $\overline{DF}$. Se $\overline{BC}$ = 10 m, $\overline{DE}$ = 4,8 cm (0,048 m) e $\overline{EF}$ = 6 cm (0,06 m), e a altura da árvore corresponde a h, temos:

$$\frac{h}{0,048} = \frac{10}{0,06}$$

$$0,06h = 0,48$$

$$h = \frac{0,48}{0,06} = 8 \text{ m}$$

Caso lado-ângulo-lado (L.A.L.)

Nesse caso, dois triângulos são semelhantes se, e somente se, apresentarem dois lados proporcionais com os ângulos formados por esses lados congruentes. Observe a Figura 1.10 a seguir.

Figura 1.10 – Semelhança de triângulos: caso L.A.L.

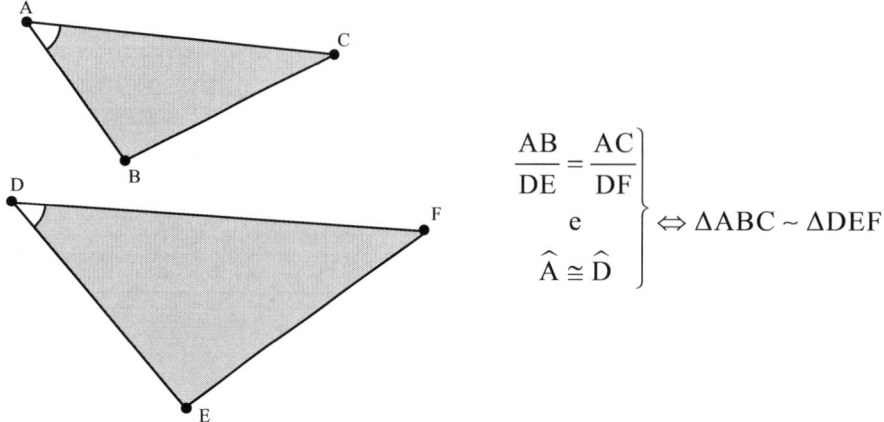

$$\left.\begin{array}{c} \dfrac{AB}{DE} = \dfrac{AC}{DF} \\ e \\ \hat{A} \cong \hat{D} \end{array}\right\} \Leftrightarrow \triangle ABC \sim \triangle DEF$$

Exemplo 1.3

Um professor de arte propôs a seus alunos que desenhassem triângulos de tamanhos variados, mas que fossem proporcionais a um modelo preestabelecido. Ao receber o modelo, Ana mediu dois de seus lados e o ângulo entre esses lados, anotando os seguintes valores: 5 cm, 10 cm e 90°. A aluna resolveu desenhar triângulos que tivessem ângulos de 90°, tomando cuidado com as medidas dos lados adjacentes a esse ângulo, sem se preocupar com a medida do lado oposto ao ângulo.

a) Ao fazer isso, Ana garante que os triângulos serão semelhantes ao modelo?
b) Quando Ana desenhou um triângulo retângulo e estabeleceu que o lado semelhante ao lado original de 5 cm deve medir 12 cm, quanto deverá medir o lado semelhante ao lado original que mede 10 cm?

Solução

a) Sim, pois os triângulos obedeceriam ao caso L.A.L.
b) Para calcularmos a medida do lado semelhante ao lado de 10 cm, designado por x, devemos estabelecer a proporcionalidade entre as medidas dos lados envolvidos, ou seja:

$$\frac{5}{12} = \frac{10}{x} \Rightarrow 5x = 120 \Rightarrow x = \frac{120}{5} \Rightarrow x = 24 \text{ cm}$$

Exemplo 1.4
Verifique se os pares de triângulos a seguir são semelhantes.

a)
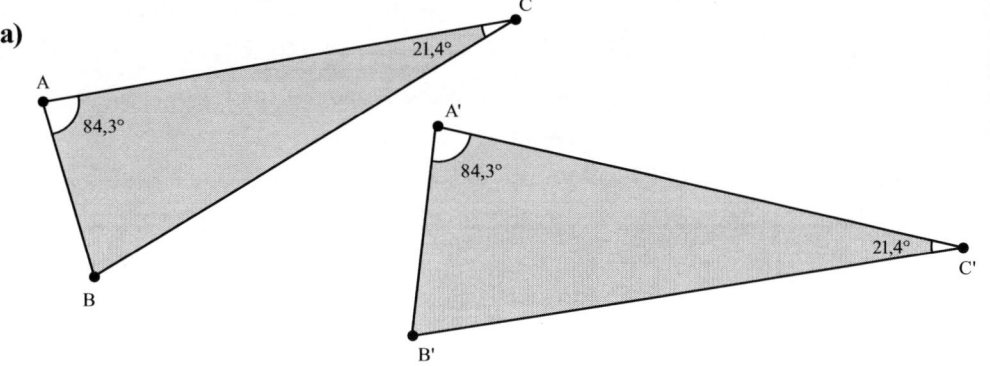

b)
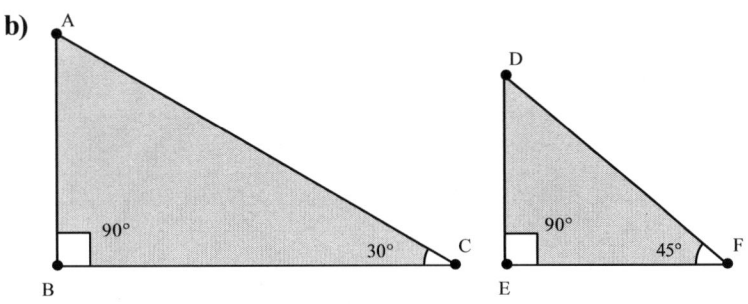

c)
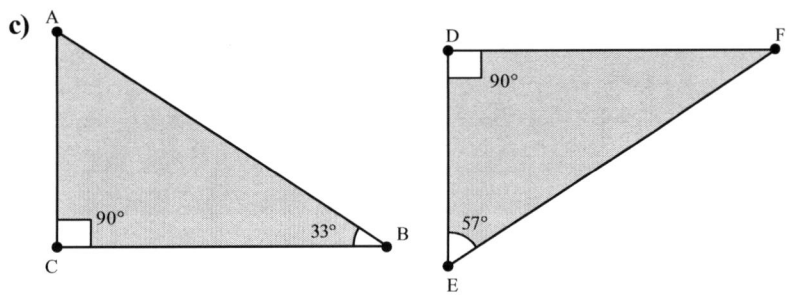

d)
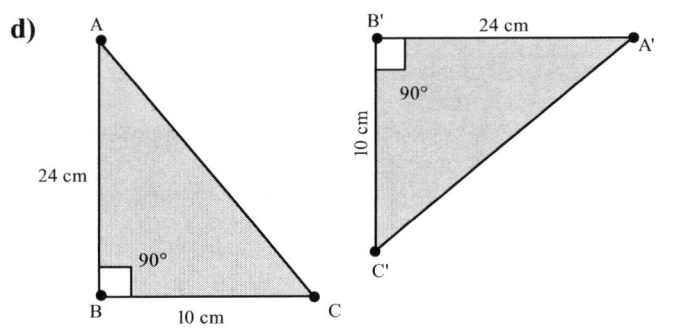

Solução

a) Os triângulos são semelhantes, pois atendem ao caso A.A.

b) Inicialmente, vamos determinar o ângulo que não está mencionado no primeiro triângulo. Se a soma da medida dos ângulos de um triângulo é 180°, o ângulo procurado deve ser 60°. Assim, não corresponde ao caso A.A., pois não temos ângulos de 60° ou 30° no segundo triângulo.

c) Novamente, para começar, vamos descobrir o ângulo que não está descrito no primeiro triângulo. Se a soma dos ângulos deve ser 180°, temos 90° + 33° + x = 180°. Logo, x = 57°. Podemos concluir que os triângulos são semelhantes de acordo com o caso A.A.

d) Os triângulos não são semelhantes, pois os lados homólogos não são proporcionais

Caso lado-lado-lado (L.L.L.)

Nesse caso, dois triângulos são semelhantes se, e somente se, tiverem, respectivamente, os três lados proporcionais.

Figura 1.11 – Semelhança de triângulos: caso L.L.L.

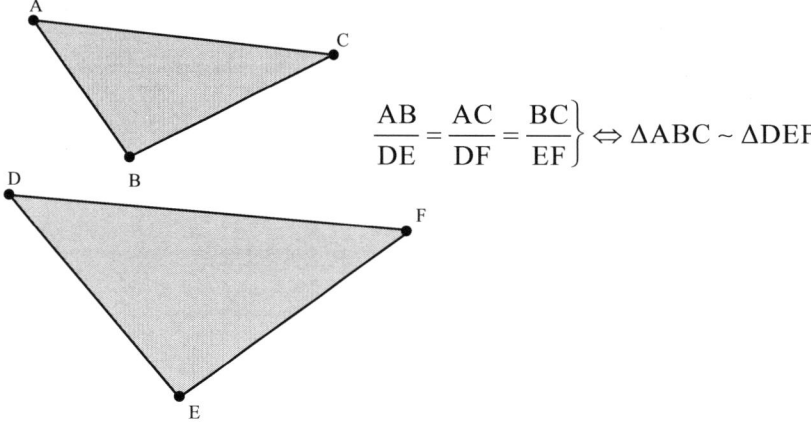

$$\left. \frac{AB}{DE} = \frac{AC}{DF} = \frac{BC}{EF} \right\} \Leftrightarrow \Delta ABC \sim \Delta DEF$$

Exemplo 1.5

Ao caminhar no calçadão, em um dado momento, uma pessoa se encontra a 7 m da base de um poste, cuja sombra corresponde a 10 m, conforme mostra a imagem a seguir. A altura da pessoa é 2 m, e a do poste é representada por h. Calcule, em metros, a altura h do poste.

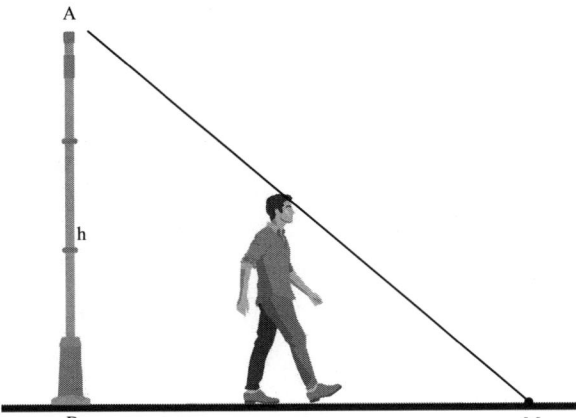

Solução

Para calcularmos a altura h, basta observarmos a semelhança entre os triângulos ABM e CDM, cuja proporcionalidade entre os lados semelhantes é: $\dfrac{\overline{AB}}{\overline{BM}} = \dfrac{\overline{CD}}{\overline{DM}}$, em que o segmento $\overline{AB}$ corresponde à altura h do poste.

Assim, $\dfrac{h}{10} = \dfrac{2}{3} \Rightarrow h = \dfrac{20}{3}$ m ou $h \cong 6{,}7$ m.

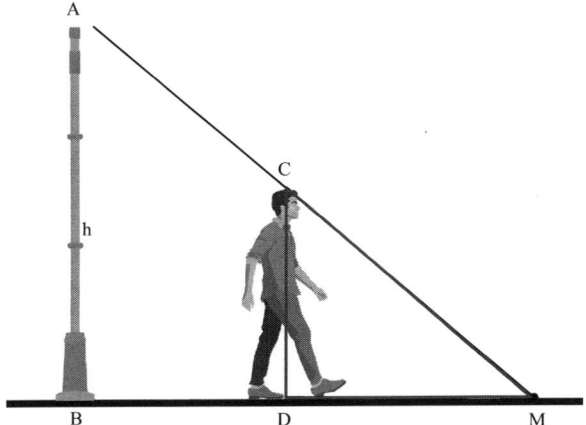

Propriedade (teorema fundamental da semelhança)

Quanto aos triângulos, podemos afirmar que:

> Em um triângulo qualquer, toda reta paralela a um lado desse triângulo e que intercepta os outros dois lados em pontos diferentes determina outro triângulo semelhante ao primeiro.

Observe a Figura 1.12 a seguir.

Figura 1.12 – Teorema fundamental da semelhança

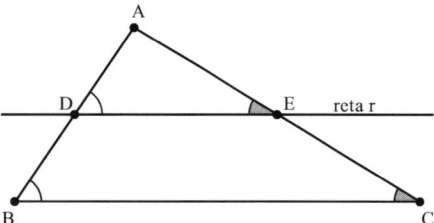

Na Figura 1.12, temos o triângulo ABC (ΔABC) e a reta *r*, tal que:

- a reta *r* é paralela ao segmento $\overline{BC}$: r // $\overline{BC}$;
- a intersecção de *r* com o segmento $\overline{AB}$ resulta no ponto D: r ∩ $\overline{AB}$ = {D};
- a intersecção de *r* com o segmento $\overline{AC}$ resulta no ponto E: r ∩ $\overline{AC}$ = {E}.

Com base nessas afirmações, podemos concluir que os triângulos ADE (ΔADE) e ABC (ΔABC) são semelhantes, pois o ângulo $\hat{B}$ é congruente ao ângulo $\hat{D}$ e o ângulo $\hat{C}$ é congruente ao ângulo $\hat{E}$, ou seja, $\hat{B} \cong \hat{D}$ e $\hat{C} \cong \hat{E}$, logo ΔADE ~ ΔABC.

Exemplo 1.6

No triângulo seguinte, os segmentos $\overline{BC}$ e $\overline{DE}$ são paralelos. Com base nas medidas fornecidas, determine o comprimento do segmento $\overline{CE}$.

Dados: $\overline{AB}$ = 30 m, $\overline{AD}$ = 10 m e $\overline{AE}$ = 12 m.

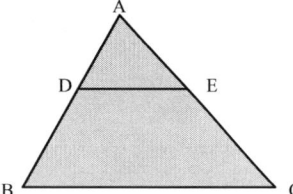

Solução

De acordo com o teorema fundamental de semelhança, sabemos que os triângulos ABC e ADE são semelhantes. Assim, temos:

$$\frac{AD}{AE} = \frac{AB}{AC}$$

$$\frac{10}{12} = \frac{30}{AC}$$

$$10 AC = 360$$

$$AC = \frac{360}{10}$$

$$AC = 36$$

Devemos observar que encontramos o valor do segmento $\overline{AC}$. Como desejamos o valor de $\overline{CE}$, subtraímos 12 de 36, ou seja: CE = 36 − 12 = 24 m.

1.2 Relações métricas no triângulo retângulo

Considere o triângulo retângulo a seguir, no qual a hipotenusa corresponde ao lado oposto ao ângulo de 90° (ângulo reto) e os outros lados são os catetos. Nesse triângulo, os ângulos α e β são agudos e complementares (α + β = 90°), conforme mostra a Figura 1.13.

Figura 1.13 – Triângulo retângulo

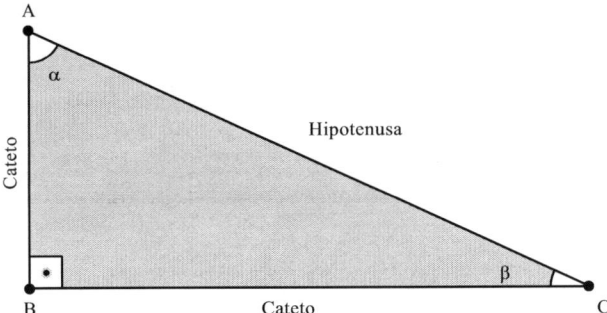

Agora, veja a Figura 1.14 a seguir, que apresenta o triângulo ABC (ΔABC), no qual o ângulo Â é 90° e o segmento $\overline{AH}$ é perpendicular ao lado BC, com o ponto H pertencente ao segmento $\overline{BC}$.

Figura 1.14 – Elementos do triângulo retângulo

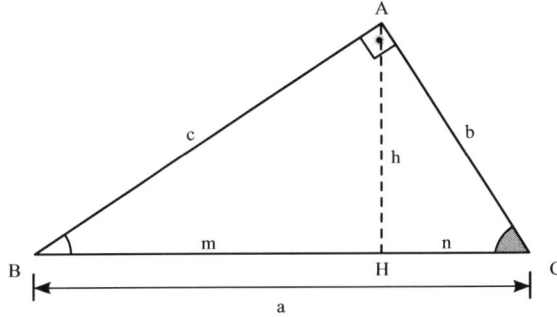

Na Figura 1.14, temos:

- hipotenusa $\overline{BC}$ de medida a;
- cateto $\overline{AC}$ de medida b;
- cateto $\overline{AB}$ de medida c;
- projeção do cateto $\overline{AC}$ sobre a hipotenusa $\overline{BC}$: $\overline{HC}$ de medida n;
- projeção do cateto $\overline{AB}$ sobre a hipotenusa $\overline{BC}$: $\overline{HB}$ de medida m;
- altura $\overline{AH}$ de medida h, relativa à hipotenusa $\overline{BC}$.

Portanto, as relações métricas do triângulo retângulo fazem correspondências com as medidas dos catetos e da altura e são utilizadas na resolução de diversos problemas referentes a triângulos retângulos.

Para conhecermos essas relações, vamos dividir o triângulo ABC (ΔABC) em dois triângulos, ABH (ΔABH) e ACH (ΔACH). Os três triângulos – ABC, ABH e ACH – são semelhantes, conforme mostra a Figura 1.15 a seguir (os triângulos não estão em escala), pois têm os três ângulos congruentes.

Figura 1.15 – ΔABH e ΔACH

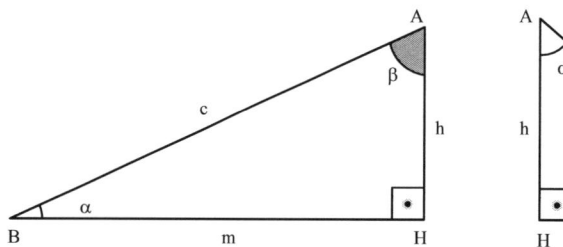
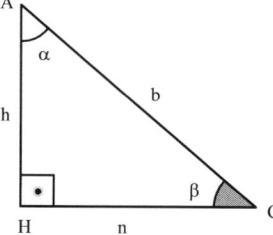

De acordo com o primeiro caso de semelhança, temos: ΔABC ~ ΔABH ~ ΔACH.

Da semelhança entre ΔABC ~ ΔABH, temos: $\dfrac{AB}{BC} = \dfrac{HB}{BA} \Rightarrow \dfrac{c}{a} = \dfrac{m}{c} \Rightarrow c^2 = m \cdot a$ (I)

Da semelhança entre ΔABC ~ ΔHAC, temos: $\dfrac{AB}{BC} = \dfrac{HA}{AC} \Rightarrow \dfrac{c}{a} = \dfrac{h}{b} \Rightarrow b \cdot c = h \cdot a$ (II)

Da semelhança entre ΔACB ~ ΔACH, temos: $\dfrac{AC}{CB} = \dfrac{HC}{CA} \Rightarrow \dfrac{b}{a} = \dfrac{n}{b} \Rightarrow b^2 = n \cdot a$ (III)

Da semelhança entre ΔBHA ~ ΔAHC, temos: $\dfrac{HA}{HB} = \dfrac{HC}{HA} \Rightarrow \dfrac{h}{m} = \dfrac{n}{h} \Rightarrow h^2 = m \cdot n$ (IV)

De I e III, se somarmos membro a membro, teremos:

$$c^2 + b^2 = n \cdot a + m \cdot a = a(m+n) \Rightarrow a^2 = b^2 + c^2 \quad (V)$$

Essa relação V é o **teorema de Pitágoras**, que define:

O quadrado da medida da hipotenusa é igual à soma do quadrado da medida dos catetos.

Exemplo 1.7

A ilustração mostra um prédio de 15 m de altura, no qual foi colocada uma escada que liga o térreo ao topo. Com as informações da imagem, determine o comprimento da escada.

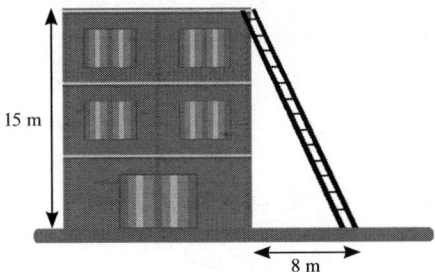

Solução

O prédio forma um ângulo de 90° com o chão, assim podemos determinar o comprimento da escada usando o teorema de Pitágoras:

$$a^2 = b^2 + c^2$$
$$a^2 = 8^2 + 15^2$$
$$a^2 = 64 + 225 = 289$$
$$a = \sqrt{289}$$
$$a = 17$$

Logo, o comprimento da escada é 17 m.

Exemplo 1.8

O perímetro de um triângulo equilátero é 18 cm. Calcule a altura do triângulo.

Solução

Como o triângulo é equilátero, cada um de seus lados mede 6 cm. Assim, temos:

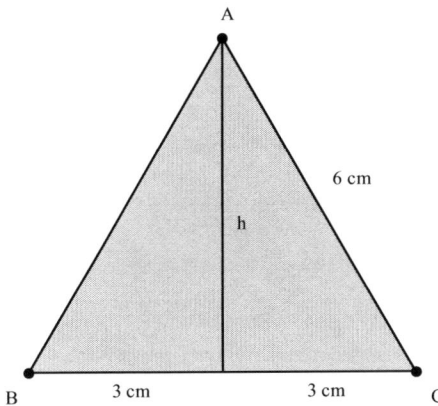

Aplicando o teorema de Pitágoras:

$6^2 = 3^2 + h^2$

$36 - 9 = h^2$

$27 = h^2$

$h = \sqrt{27}$

$h = \sqrt{3^2 \cdot 3} = 3\sqrt{3}$ cm

Fique atento!

A resolução deste exemplo também é possível partindo-se do conhecimento prévio de que, no triângulo equilátero (isósceles, no caso mais geral), a altura, a bissetriz e a mediana são coincidentes em relação à base.

Exemplo 1.9

Determine os valores de *a*, *h*, *m* e *n* na figura a seguir.

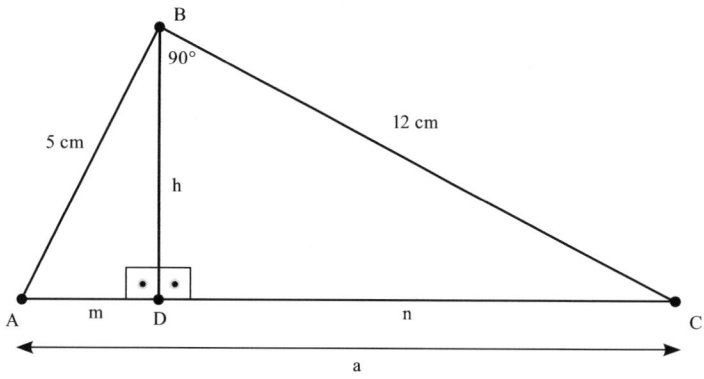

Solução

$a^2 = b^2 + c^2$

$a^2 = 5^2 + 12^2$

$a^2 = 25 + 144 = 169$

$a^2 = \sqrt{169} = 13$ cm

$b \cdot c = a \cdot h$

$5 \cdot 12 = 13 \cdot h$

$h = \dfrac{60}{13} \cong 4{,}615$ cm

$c^2 = a \cdot n$

$12^2 = 13 \cdot n$

$\dfrac{144}{13} = n$

$n \cong 11{,}077$

$b^2 = a \cdot m$

$5^2 = 13 \cdot m$

$\dfrac{25}{13} = m$

$m \cong 1{,}923$

1.3 Razões trigonométricas nos triângulos

A trigonometria estuda as relações entre as medidas dos lados de um triângulo quando seus ângulos internos são levados em consideração. Como exemplo dessas relações, podemos citar o seno, o cosseno e a tangente.

Em um triângulo retângulo, cada cateto é oposto a um determinado ângulo e adjacente a outro. Por isso, para estudarmos as relações de seno, cosseno e tangente, é importante identificarmos o ângulo de referência.

1.3.1 Definição de seno, cosseno e tangente

Veja a Figura 1.16 a seguir, em que o AÔB, representado por α, é agudo e os segmentos de retas $\overline{GH}$, $\overline{EF}$, $\overline{CD}$ e $\overline{AB}$ são perpendiculares à semirreta $\overline{OB}$ e interceptam a semirreta $\overline{OA}$ nos pontos G, E, C e A.

Figura 1.16 – Seno, cosseno e tangente

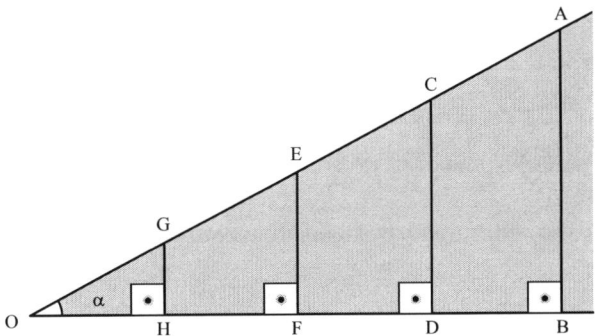

Observe, também, que os triângulos ΔOGH, ΔOEF, ΔOCD e ΔOAB são semelhantes por apresentarem os mesmos ângulos internos. Logo, podemos escrever a seguinte relação:

$$\frac{GH}{OG} = \frac{EF}{OE} = \frac{CD}{OC} = \frac{AB}{OA} = \ldots \text{(constante)}$$

Para um mesmo ângulo α, as medidas do cateto oposto e da hipotenusa foram alteradas, mas a razão permaneceu constante, relação esta que é denominada *seno* do ângulo α e definida no triângulo ΔOAB por:

$$\text{sen } \alpha = \frac{AB}{OA}$$

Desse modo, sen α é a razão entre a medida do cateto oposto ao ângulo α e a hipotenusa (0° < α < 90°).

Do mesmo modo, com base na semelhança de triângulos, podemos obter outras relações:

$$\frac{OH}{OG} = \frac{OF}{OE} = \frac{OD}{OC} = \frac{OB}{OA} = \ldots (\text{constante})$$

$$\frac{GH}{OH} = \frac{EF}{OF} = \frac{CD}{OD} = \frac{AB}{OB} = \ldots (\text{constante})$$

Tais relações dependem, também, apenas do ângulo α e correspondem, respectivamente, ao cosseno e à tangente do ângulo α. Essas razões são definidas no triângulo ΔOAB como:

$$\cos \alpha = \frac{OB}{OA}$$

Ou seja, é a razão entre a medida do cateto adjacente ao ângulo α e a hipotenusa (0° < α < 90°). E

$$\operatorname{tg} \alpha = \frac{AB}{OB}$$

Ou seja, é a razão entre as medidas dos catetos oposto e adjacente ao ângulo α (0° < α < 90°).

Em um triângulo retângulo, podemos resumir essas razões da seguinte forma:

A razão entre o cateto oposto a um determinado ângulo e a hipotenusa do triângulo retângulo é o **seno** do ângulo:

$$\operatorname{seno} \alpha = \frac{\text{cateto oposto ao ângulo } \alpha}{\text{hipotenusa}}$$

A razão entre o cateto adjacente a um determinado ângulo e a hipotenusa do triângulo retângulo é o **cosseno** do ângulo:

$$\operatorname{cosseno} \alpha = \frac{\text{cateto adjacente ao ângulo } \alpha}{\text{hipotenusa}}$$

A razão entre o cateto oposto e o cateto adjacente de um determinado ângulo é a **tangente** do ângulo:

$$\operatorname{tangente} \alpha = \frac{\text{cateto oposto ao ângulo } \alpha}{\text{cateto adjacente ao ângulo } \alpha}$$

Exemplo 1.10

No triângulo a seguir, calcule o valor de sen α, cos α, tg α, sen β, cos β e tg β.

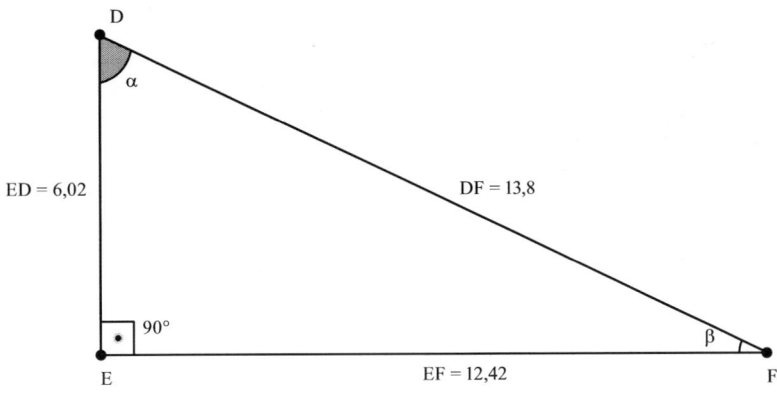

Solução

Além de observarmos as razões apropriadas para seno, cosseno e tangente, devemos identificar o cateto oposto e o cateto adjacente ao ângulo α quando estivermos calculando sen α, cos α e tg α. De igual modo, devemos verificar o cateto oposto e o cateto adjacente ao ângulo β quando desejarmos obter sen β, cos β e tg β.

Portanto, temos:

$$\operatorname{sen} \alpha = \frac{EF}{DF} = \frac{12,42}{13,8} = 0,9$$

$$\cos \alpha = \frac{ED}{DF} = \frac{6,02}{13,8} \cong 0,4362$$

$$\operatorname{tg} \alpha = \frac{EF}{ED} = \frac{12,42}{6,02} \cong 2,0631$$

$$\operatorname{sen} \beta = \frac{ED}{DF} \cong 0,4362$$

$$\cos \beta = \frac{EF}{DF} = 0,9$$

$$\operatorname{tg} \beta = \frac{ED}{EF} = \frac{6,02}{12,42} \cong 0,4847$$

Exemplo 1.11

Se sen 30° = 0,5 e cos 30° = 0,87, obtenha o valor de x na figura a seguir.

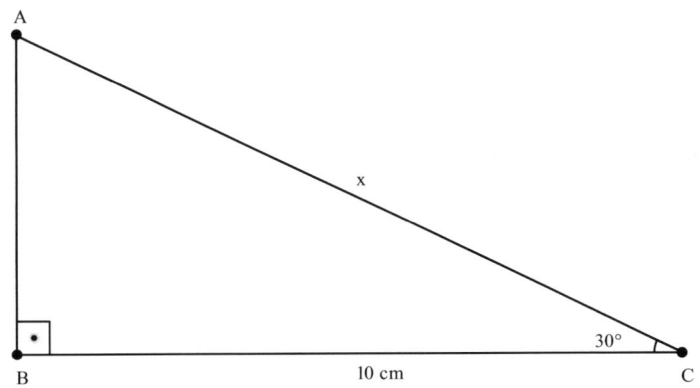

Solução

No caso da figura, identificamos o valor do cateto adjacente ao ângulo de 30° e desejamos obter o valor de *x*, que é a hipotenusa do triângulo. A razão entre cateto adjacente e hipotenusa é o cosseno. Logo, temos:

$$\cos 30° = \frac{10}{x} \qquad x = \frac{10}{0,87}$$

$$0,87 = \frac{10}{x} \qquad x \cong 11,49 \text{ cm}$$

$$0,87x = 10$$

1.3.2 Relações entre seno, cosseno e tangente

Considere α e β dois ângulos agudos e as seguintes relações entre as razões seno, cosseno e tangente:

$$\text{sen}^2 \alpha + \cos^2 \alpha = 1 \tag{I}$$

$$\text{tg } \alpha = \frac{\text{sen } \alpha}{\cos \alpha} \tag{II}$$

$$\text{sen } \alpha = \cos \beta \text{ ou } \cos \alpha = \text{sen } \beta \tag{III}$$

Para verificarmos as relações apresentadas, devemos considerar ABC um triângulo retângulo em A, conforme mostra a Figura 1.17, na qual a medida

- da hipotenusa é *a*;
- dos catetos é *b* e *c*;
- dos ângulos agudos é α e β.

Figura 1.17 – Triângulo retângulo

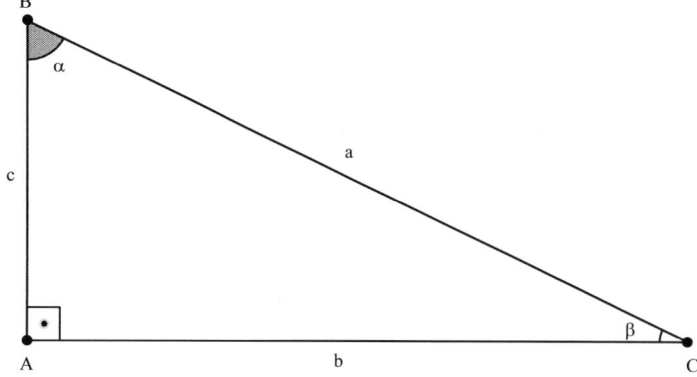

No triângulo da Figura 1.17, vale a relação $a^2 = b^2 + c^2$ (teorema de Pitágoras).

Na relação I, temos $\text{sen}^2\,\alpha + \cos^2\alpha = 1$, assim, substituímos seno e cosseno por suas definições, ou seja, $\left(\dfrac{b}{a}\right)^2 + \left(\dfrac{c}{a}\right)^2 = \dfrac{b^2 + c^2}{a^2}$. Como $b^2 + c^2 = a^2$, logo $\text{sen}^2\,\alpha + \cos^2\alpha = \dfrac{b^2 + c^2}{a^2} = \dfrac{a^2}{a^2} = 1$.

Já na relação II, substituímos as definições de seno e cosseno da seguinte forma:

$$\text{tg}\,\alpha = \dfrac{\text{sen}\,\alpha}{\cos\alpha} = \dfrac{\dfrac{b}{a}}{\dfrac{c}{a}} = \dfrac{b}{a} \cdot \dfrac{a}{c} = \dfrac{b}{c} = \text{tg}\,\alpha\ (0° < \alpha < 90°).$$

Por fim, na relação III, basta aplicarmos as definições de seno e cosseno a partir do triângulo da Figura 1.17. Logo, temos:

$$\text{sen}\,\alpha = \dfrac{b}{a} = \cos\beta,\ \text{assim},\ \text{sen}\,\alpha = \cos\beta$$

$$\cos\alpha = \dfrac{c}{a} = \text{sen}\,\beta,\ \text{então},\ \cos\alpha = \text{sen}\,\beta$$

Exemplo 1.12

Se x é um ângulo entre 0 e 90° e sen x = 0,8, determine cos x e tg x.

Solução

Se adotarmos a relação $\text{sen}^2\,\alpha + \cos^2\alpha = 1$, teremos $0{,}8^2 + \cos^2 x = 1$.

Assim, $\cos^2 x = 1 - 0{,}64 = 0{,}36$, o que nos dá cos x = 0,6.

Desse modo, para calcularmos a tangente, utilizamos a relação:

$$\text{tg}\,x = \dfrac{\text{sen}\,x}{\cos x} = \dfrac{0{,}8}{0{,}6} = 1{,}333\ldots$$

1.3.3 Razões trigonométricas para ângulos notáveis

Os ângulos de 30°, 45° e 60° são denominados *ângulos notáveis*. Vamos conhecer os valores de seno, cosseno e tangente para esses ângulos, pois eles podem ser bastante úteis na resolução de problemas com triângulos retângulos.

Ângulo de 45°

Consideremos o quadrado ABCD da Figura 1.18 a seguir, de lado a e diagonal $\sqrt{2}a$. Os valores do seno, cosseno e tangente são:

$$\text{sen } 45° = \frac{a}{\sqrt{2}a} = \frac{1}{\sqrt{2}} \cdot \frac{\sqrt{2}}{\sqrt{2}} = \frac{\sqrt{2}}{2}$$

$$\cos 45° = \frac{a}{\sqrt{2}a} = \frac{1}{\sqrt{2}} \cdot \frac{\sqrt{2}}{\sqrt{2}} = \frac{\sqrt{2}}{2}$$

$$\text{tg } 45° = \frac{a}{a} = 1$$

Figura 1.18 – Quadrado de lado a

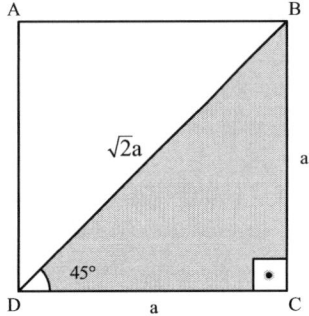

Ângulos de 30° e 60°

Consideremos o triângulo equilátero ABC, de altura h, conforme a figura a seguir.

Figura 1.19 – Triângulo equilátero

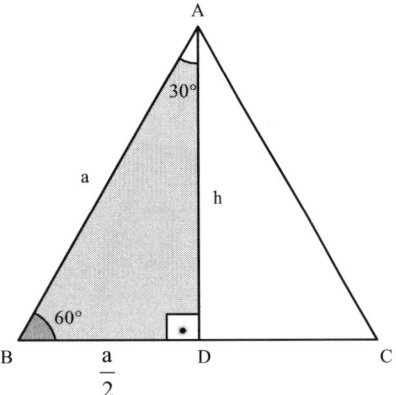

A altura h pode ser calculada ao aplicarmos o teorema de Pitágoras no triângulo ABD:

$$a^2 = h^2 + \frac{a^2}{4} \Rightarrow h^2 = a^2 - \frac{a^2}{4} = \frac{3a^2}{4} \Rightarrow h = \sqrt{\frac{3a^2}{4}} = \frac{a\sqrt{3}}{2}$$

Agora, podemos obter os valores de seno, cosseno e tangente para os ângulos de 30° e 60°.

Seno, cosseno e tangente para ângulo de 30°

$$\operatorname{sen} 30° = \frac{\frac{a}{2}}{a} = \frac{1}{2}$$

$$\cos 30° = \frac{\frac{a\sqrt{3}}{2}}{a} = \frac{\sqrt{3}}{2}$$

$$\operatorname{tg} 30° \frac{\frac{a}{2}}{\frac{a\sqrt{3}}{2}} = \frac{a}{2} \cdot \frac{2}{a\sqrt{3}} = \frac{1}{\sqrt{3}} \cdot \frac{\sqrt{3}}{\sqrt{3}} = \frac{\sqrt{3}}{3}$$

Seno, cosseno e tangente para ângulo de 60°

$$\operatorname{sen} 60° = \frac{\frac{a\sqrt{3}}{2}}{a} = \frac{\sqrt{3}}{2}$$

$$\cos 60° = \frac{\frac{a}{2}}{a} = \frac{1}{2}$$

$$\operatorname{tg} 60° = \frac{\operatorname{sen} 60°}{\cos 60°} = \frac{\frac{\sqrt{3}}{2}}{\frac{1}{2}} = \frac{\sqrt{3}}{2} \cdot \frac{2}{1} = \sqrt{3}$$

Podemos representar esses valores, de forma resumida, no Quadro 1.1 a seguir.

Quadro 1.1 – Razões trigonométricas para ângulos notáveis

Razão trigonométrica	30°	45°	60°
Seno	$\frac{1}{2}$	$\frac{\sqrt{2}}{2}$	$\frac{\sqrt{3}}{2}$
Cosseno	$\frac{\sqrt{3}}{2}$	$\frac{\sqrt{2}}{2}$	$\frac{1}{2}$
Tangente	$\frac{\sqrt{3}}{3}$	1	$\sqrt{3}$

Exemplo 1.13

Determine a altura do prédio representado na imagem a seguir.

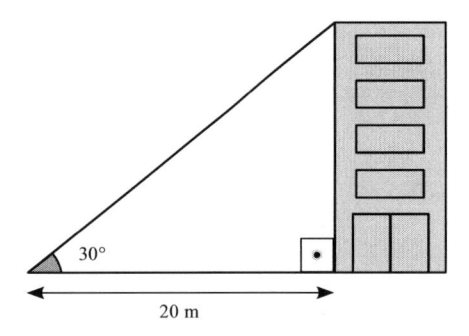

Solução

Ao observarmos a imagem, notamos que se trata de um triângulo retângulo, no qual temos conhecida a medida do cateto adjacente ao ângulo de 30°. Como desejamos determinar a medida da altura do prédio, devemos calcular a medida do cateto oposto ao ângulo de 30°. Assim, podemos utilizar a tangente de 30°:

$$\text{tangente } 30° = \frac{\text{cateto oposto } 30°}{\text{cateto adjacente } 30°} = \frac{x}{20}$$

$$\frac{\sqrt{3}}{3} = \frac{x}{20}$$

$$3x = 20 \cdot \sqrt{3}$$

$$x = \frac{20\sqrt{3}}{3} \text{ m}$$

Exemplo 1.14

Um avião levanta voo sob um ângulo de 30°. Depois de percorrer 8 km, esse avião se encontra a que altura?

Solução

Podemos representar a situação dada por meio de um triângulo:

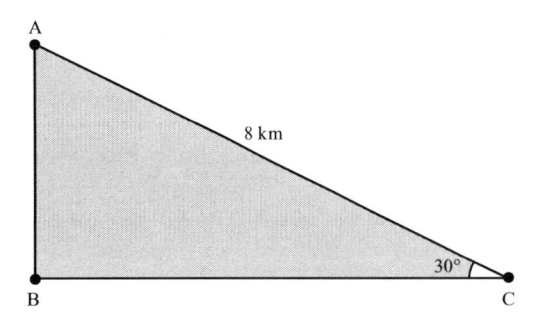

Nesse caso, a altura do avião é a medida do segmento AB, que é o cateto oposto ao ângulo de 30°. Como temos a medida da hipotenusa, a razão trigonométrica a ser utilizada é o seno:

$$\operatorname{sen} 30° = \frac{h}{8}$$
$$\frac{1}{2} = \frac{h}{8}$$
$$2h = 8$$
$$h = 4 \text{ km}$$

Exemplo 1.15

Uma pessoa se encontra de um lado da margem de um rio e avista uma casa do outro lado da margem sob um ângulo de 30°. Essa pessoa caminha 20 m e volta a observar a casa, agora sob um ângulo de 60°. Consideremos que a posição inicial dessa pessoa é o ponto S e a posição atual, o ponto R. Se P representa a casa, determine a menor distância da casa até o outro lado da margem do rio.

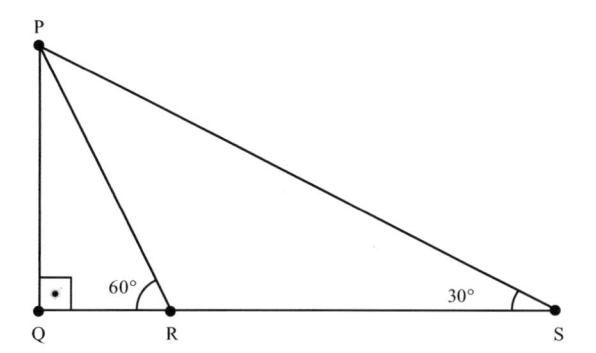

Solução

A menor distância da casa até o outro lado do rio é o segmento $\overline{PQ}$. Para encontramos o valor desejado, vamos levar em conta que RS = 20 m. Assim, podemos observar dois triângulos retângulos:

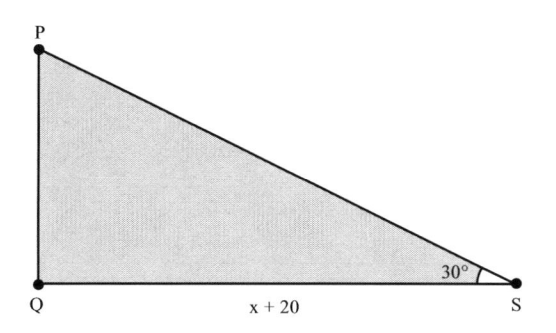

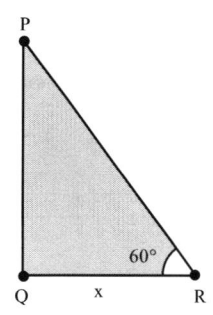

Nos dois triângulos, queremos conhecer o valor do cateto oposto (PQ) e temos os dados no cateto adjacente. Logo, vamos usar a tangente:

$$\text{tg } 30° = \frac{PQ}{x + 20} \qquad \text{tg } 60° = \frac{PQ}{x}$$

$$\frac{\sqrt{3}}{3} = \frac{PQ}{x + 20} \qquad \sqrt{3} = \frac{PQ}{x}$$

$$x\sqrt{3} = PQ$$

Se substituirmos $PQ = x\sqrt{3}$ na primeira tangente, teremos:

$$\frac{\sqrt{3}}{3} = \frac{x\sqrt{3}}{x + 20}$$

$$3x = x + 20$$

$$2x = 20$$

$$x = \frac{20}{2}$$

$$x = 10$$

Portanto, $PQ = 10\sqrt{3}$ m.

Exemplo 1.16

Uma escada de 10 m de comprimento está apoiada em um ponto de uma parede a 5 m de altura. Se uma parede forma um ângulo de 90° com o chão, qual o ângulo de inclinação da escada em relação à parede?

Solução

Vamos representar a situação com um triângulo retângulo:

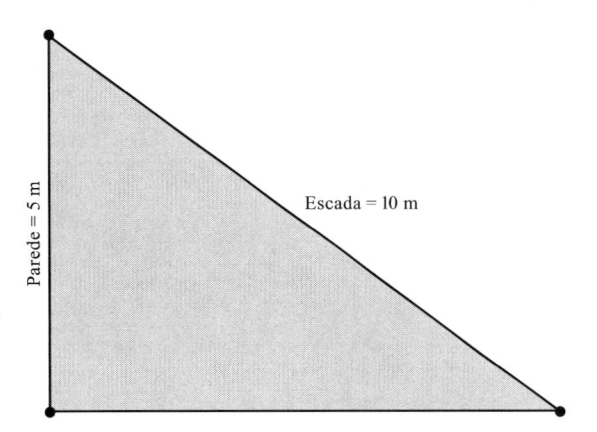

No triângulo, conhecemos as medidas da hipotenusa e do cateto adjacente. Uma vez que estamos investigando o ângulo entre a parede e a escada, temos:

$$\cos x = \frac{5}{10} = \frac{1}{2}$$

Segundo o conceito dos ângulos notáveis, identificamos que o ângulo formado entre a parede e a escada é de 60°.

1.4 Lei dos senos

Dado um triângulo qualquer de lados a, b e c e ângulos $\hat{A}$, $\hat{B}$ e $\hat{C}$ opostos aos respectivos lados, conforme mostra a Figura 1.20 a seguir podemos estabelecer a seguinte relação:

> O seno de um ângulo em um triângulo qualquer é proporcional à medida do lado oposto a esse ângulo. Desse modo, $\dfrac{a}{\operatorname{sen} \hat{A}} = \dfrac{b}{\operatorname{sen} \hat{B}} = \dfrac{c}{\operatorname{sen} \hat{C}} = 2r$, em que r é o raio da circunferência na qual o triângulo ABC está inscrito.

Figura 1.20 – Lei dos senos

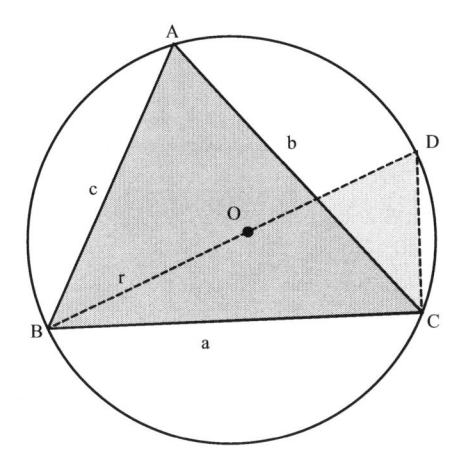

Para verificarmos a lei dos senos, consideremos o triângulo ABC, de lados a, b e c, inscrito numa circunferência de raio r e centro O, conforme ilustra a Figura 1.20. Do ponto B, podemos obter um ponto D diametralmente oposto que passa por O e liga os pontos D e C, C e B, formando o triângulo tracejado BDC, retângulo em C.

Considerando esse novo triângulo, podemos escrever que $\operatorname{sen} \hat{D} = \dfrac{a}{2r}$ ou $2r = \dfrac{a}{\operatorname{sen} \hat{D}}$, em que o ângulo $\hat{A}$ é igual ao ângulo $\hat{D}$, pois ambos determinam a mesma corda $\overline{BC}$ na circunferência.

Logo, podemos reescrever a equação da seguinte forma:

$$2r = \frac{a}{\operatorname{sen} \hat{A}}$$

Do mesmo modo, por meio dos ângulos $\hat{B}$ e $\hat{C}$ podemos realizar o procedimento para obter as outras duas relações, em que *2r* é uma constante:

$$2r = \frac{b}{\operatorname{sen} \hat{B}}$$

$$2r = \frac{c}{\operatorname{sen} \hat{C}}$$

Portanto, temos:

$$\frac{a}{\operatorname{sen} \hat{A}} = \frac{b}{\operatorname{sen} \hat{B}} = \frac{c}{\operatorname{sen} \hat{C}} = 2r$$

Exemplo 1.17

Calcule a medida de *x* segundo a lei dos senos.

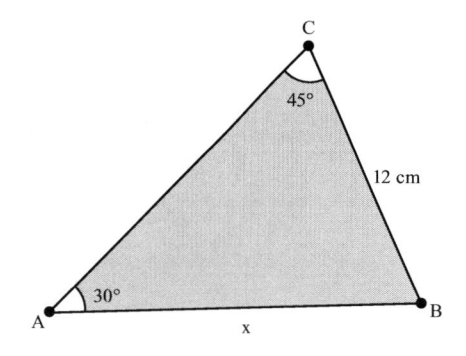

Solução

$$\frac{12}{\operatorname{sen} 30°} = \frac{x}{\operatorname{sen} 45°}$$

$$x \cdot \frac{1}{2} = 12 \cdot \frac{\sqrt{2}}{2}$$

$$x = 12\sqrt{2} \text{ cm}$$

1.5 Leis dos cossenos

Dado um triângulo qualquer de lados *a, b* e *c* e ângulos α, β e γ opostos aos respectivos lados, conforme mostra a Figura 1.21 a seguir, podemos estabelecer a seguinte relação:

$$a^2 = b^2 + c^2 - 2 \cdot b \cdot c \cdot \cos \alpha \text{ ou } b^2 = a^2 + c^2 - 2 \cdot a \cdot c \cdot \cos \beta \text{ ou }$$
$$c^2 = a^2 + b^2 - 2 \cdot a \cdot b \cdot \cos \gamma$$

Figura 1.21 – Lei dos cossenos

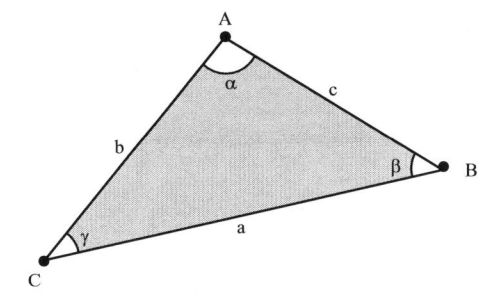

Para verificarmos a lei dos cossenos, vamos considerar o triângulo da Figura 1.22 a seguir, no qual o lado *b* é igual à soma de *p* e *q*, ou seja, b = p + q, e *h* é a altura relativa ao lado $\overline{AC}$ que passa por D.

Figura 1.22 – Triângulo qualquer ABC

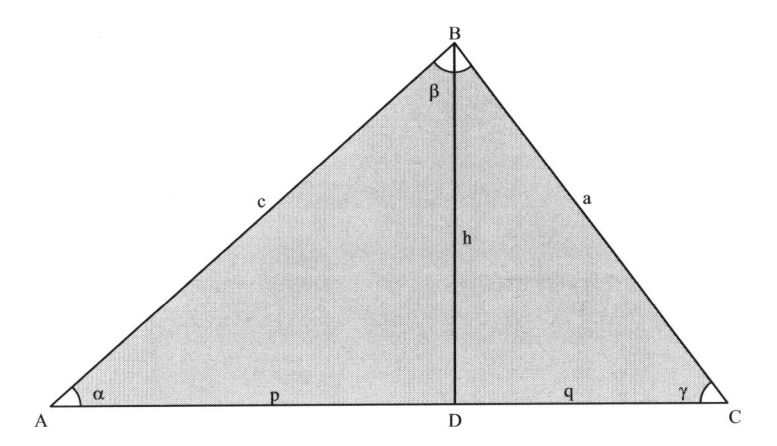

Nos triângulos BDC e BDA, podemos escrever, respectivamente, que:

$$a^2 = h^2 + q^2 \tag{I}$$

$$c^2 = h^2 + p^2 \tag{II}$$

De II, podemos reescrever:

$$h^2 = c^2 - p^2 \qquad (III)$$

Como $b = p + q$, podemos escrever que:

$$q^2 = (b - p)^2 = b^2 - 2bp + p^2 \qquad (IV)$$

Se levarmos IV e III em I, teremos:

$$a^2 = h^2 + q^2 = c^2 - p^2 + b^2 - 2bp + p^2 \Rightarrow a^2 = c^2 + b^2 - 2bp \qquad (V)$$

No triângulo BDA, o cosseno do ângulo α é igual a:

$$\cos \alpha = \frac{p}{c} \text{ ou } p = c \cdot \cos \alpha \qquad (VI)$$

Se substituirmos VI em V, obteremos:

$$a^2 = c^2 + b^2 - 2b \cdot c \cdot \cos \alpha \qquad \text{(lei dos cossenos)}$$

Do mesmo modo, podemos obter as outras relações que correspondem à lei dos cossenos:

$$b^2 = a^2 + c^2 - 2 \cdot a \cdot c \cdot \cos \beta$$
$$c^2 = a^2 + b^2 - 2 \cdot a \cdot b \cdot \cos \gamma$$

Exemplo 1.18

Determine o valor de *b* no triângulo a seguir. Considere $\sqrt{2} = 1{,}41$.

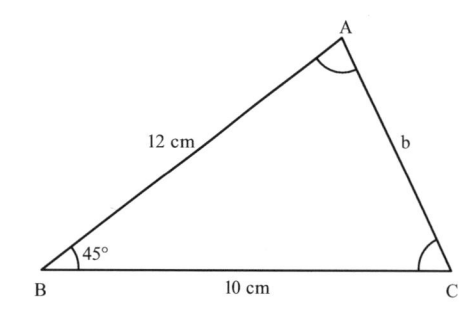

Solução

Se utilizarmos a lei dos cossenos, teremos:

$$b^2 = 12^2 + 10^2 - 2 \cdot 12 \cdot 10 \cdot \cos 45°$$
$$b^2 = 144 + 100 - 120\sqrt{2}$$
$$b^2 = 74{,}8$$
$$b \cong 8{,}65 \text{ cm}$$

1.6 Área de um triângulo qualquer

Uma aplicação direta da lei dos senos é o cálculo da área (A) de um triângulo qualquer, como no caso do triângulo da Figura 1.23 a seguir, em que AC = b = p + q.

Figura 1.23 – Triângulo qualquer

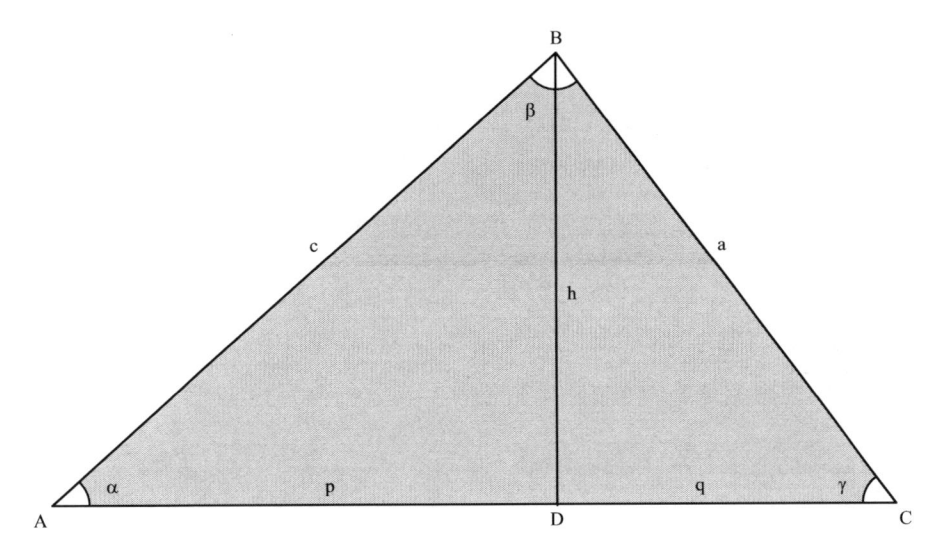

Nesse caso, $A = \dfrac{\text{base} \cdot \text{altura}}{2}$, em que a base é b e altura é $h = a \cdot \operatorname{sen}\gamma$. Assim, $A = \dfrac{a \cdot b \cdot \operatorname{sen}\gamma}{2}$ ou $A = \dfrac{b \cdot c \cdot \operatorname{sen}\alpha}{2}$ ou $A = \dfrac{a \cdot c \cdot \operatorname{sen}\beta}{2}$.

Desse modo, a área de um triângulo qualquer pode ser calculada como o produto de dois lados consecutivos quaisquer pelo seno do ângulo formado por esses dois lados dividido por 2. Observe:

$$A_\Delta = \frac{a \cdot b \cdot \operatorname{sen}\alpha}{2} = \frac{b \cdot c \cdot \operatorname{sen}\theta}{2} = \frac{c \cdot a \cdot \operatorname{sen}\beta}{2}$$

Exemplo 1.19
Determine a área do triângulo ABC.

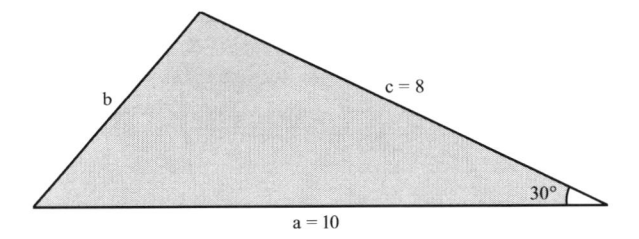

Solução

$$A_\Delta = \frac{c \cdot a \cdot \operatorname{sen} \beta}{2} = \frac{8 \cdot 10 \cdot \operatorname{sen} 30°}{2}$$

$$A = \frac{40}{2} = 20$$

1.6.1 Fórmula de Heron

Uma outra fórmula importante para o cálculo da área de um triângulo qualquer é a fórmula de Heron:

$$A = \sqrt{s(s-a)(s-b)(s-c)}$$

Nessa fórmula, s é o semiperímetro do triângulo e vale $\frac{a+b+c}{2}$.

Para verificarmos a fórmula de Heron, vamos considerar o triângulo da Figura 1.23, em que a área é dada por:

$$A = \frac{a \cdot b \cdot \operatorname{sen} \gamma}{2}, \quad \operatorname{sen} \gamma = \sqrt{1 - \cos^2 \gamma} \tag{I}$$

De acordo com a lei dos cossenos, temos $\cos^2 \gamma = \frac{(a^2 + b^2 - c^2)^2}{4a^2b^2}$, que, ao ser substituído em I, fica:

$$\frac{\operatorname{sen} \gamma}{2} = \frac{1}{2}\sqrt{1 - \frac{(a^2+b^2-c^2)^2}{4a^2b^2}} = \frac{\sqrt{4a^2b^2 - (a^2+b^2-c^2)^2}}{4ab} \tag{II}$$

Observe que $4a^2b^2 - (a^2+b^2-c^2)^2 = (2ab)^2 - (a^2+b^2-c^2)^2$ pode ser escrito como o produto da soma pela diferença: $[x^2 - y^2 = (x+y) \cdot (x-y)]$. Ou seja: $4a^2b^2 - (a^2+b^2-c^2)^2 = (2ab + a^2 + b^2 - c^2) \cdot (2ab - a^2 - b^2 + c^2)$, que, ao ser reagrupado, fica:

$$4a^2b^2 - (a^2+b^2-c^2)^2 = [(a+b)^2 - c^2] \cdot [-(a-b)^2 + c^2] \tag{III}$$

A expressão III também pode ser escrita como o produto da soma pela diferença:

$$\begin{aligned} 4a^2b^2 - (a^2+b^2-c^2)^2 &= \\ = \big[((a+b)+c) \cdot ((a+b)-c)\big] \cdot \big[(c+(a-b)) \cdot (c-(a-b))\big] &= \\ = (a+b+c) \cdot (a+b-c) \cdot (a-b+c) \cdot (b+c-a) \end{aligned} \tag{IV}$$

Se substituirmos a equação IV em II, teremos:

$$\frac{\operatorname{sen} \gamma}{2} = \frac{\sqrt{(a+b+c)\cdot(a+b-c)\cdot(a-b+c)\cdot(b+c-a)}}{4ab} =$$

$$\frac{1}{ab}\sqrt{\frac{(a+b+c)\cdot(a+b-c)\cdot(a-b+c)\cdot(b+c-a)}{16}} \Rightarrow$$

$$\frac{\operatorname{sen} \gamma}{2} = \frac{1}{ab}\sqrt{\frac{(a+b+c)}{2}\cdot\frac{(a+b+c-2c)}{2}\cdot\frac{(a+b+c-2b)}{2}\cdot\frac{(a+b+c-2a)}{2}} \Rightarrow$$

$$\frac{\operatorname{sen} \gamma}{2} = \frac{1}{ab}\sqrt{s\cdot(s-a)(s-b)(s-c)}$$

(V)

Ao substituirmos V na fórmula da área, temos:

$$A = a\cdot b\frac{\operatorname{sen} \gamma}{2} \Rightarrow A = \sqrt{s\cdot(s-a)(s-b)(s-c)} \qquad \text{(fórmula de Heron)}$$

Como já mencionamos, a fórmula de Heron pode ser adotada para o cálculo da área de um triângulo qualquer.

Síntese

Neste capítulo, estudamos o teorema de Tales e as semelhanças entre triângulos, recursos que podem ser utilizados em diversos problemas que envolvem sombras e alturas.

Vimos também as razões trigonométricas nos triângulos retângulos e identificamos alguns valores notáveis para seno, cosseno e tangente.

Por fim, conhecemos a lei dos senos e a lei dos cossenos e formas distintas para o cálculo da área de um triângulo qualquer.

Atividades de autoavaliação

1) Em um triângulo retângulo, um ângulo agudo mede 45°, e a hipotenusa, $8\sqrt{2}$ cm. Qual a área desse triângulo?

   a. 16 cm².
   b. 20 cm².
   c. 32 cm².
   d. 40 cm².
   e. 64 cm².

2) Em certo momento do dia, uma vareta de 1 m, espetada verticalmente no chão, faz uma sombra que mede 20 cm. No mesmo instante, um monumento faz uma sombra de 4 m. Qual a altura do monumento?

   a. 2 m.
   b. 20 m.
   c. 10 m.
   d. 1 m.
   e. 40 m.

3) Um professor instala um teodolito a 1 m do chão e observa o topo de uma árvore sob um ângulo de 45°. Se o teodolito está posicionado a uma distância de 5 m da árvore, qual a altura aproximada dessa árvore?

   a. 5 m.
   b. $5\sqrt{3}$ m.
   c. $5\sqrt{3} + 1$ m.
   d. 6 m.
   e. $2,5\sqrt{3} + 1$ m.

4) Uma escada de 6 m de comprimento está apoiada em uma parede, formando um ângulo de 30° com o chão. Qual é a altura em que a escada toca a parede?

   a. 6 m.
   b. 5 m.
   c. 4 m.
   d. 3 m.
   e. 2 m.

5) Um fio de 25 m liga o topo de dois prédios como na imagem a seguir. Se a altura do prédio menor é 12 m e a distância entre os prédios é 20 m, qual a altura do prédio maior?

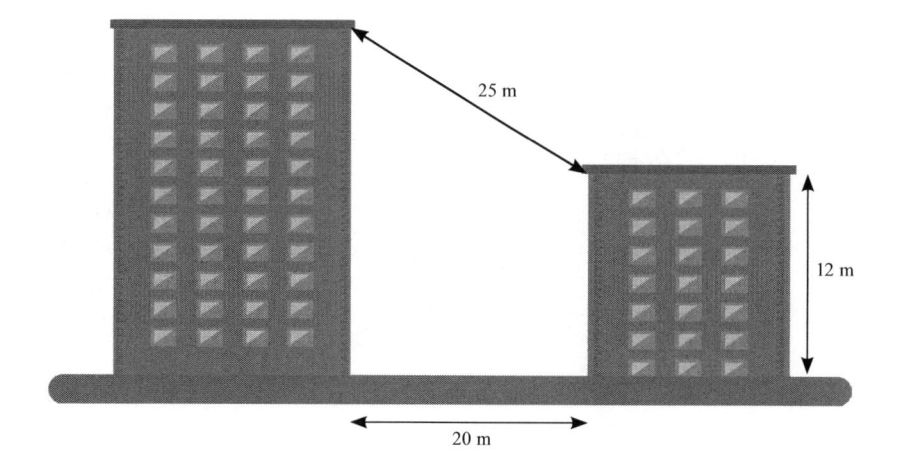

a. 15 m.
b. 24 m.
c. 25 m.
d. 27 m.
e. 30 m.

6) Em triângulo retângulo, a hipotenusa mede 5 cm, e um dos catetos, 4 cm. Qual a altura relativa à hipotenusa desse triângulo?

a. 12 cm.
b. 2,4 cm.
c. 3 cm.
d. 5 cm.
e. 1,6 cm.

7) A representação de parte de uma fogueira pode ser observada na figura a seguir.

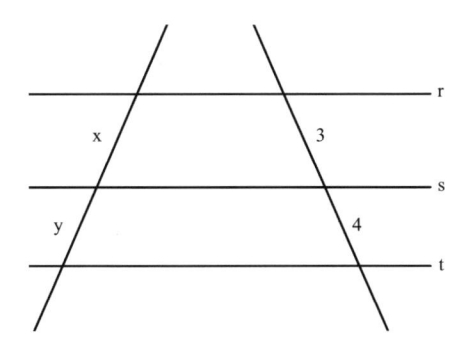

Se x + y = 28 e r, s e t são segmentos paralelos, quanto vale y – x?

a. 16.
b. 12.
c. 8.
d. 4.
e. 2.

8) Um dado triângulo possui ângulos agudos de 30° e 45°. Se o lado oposto ao ângulo de 30° mede 20 cm, qual é a medida do lado oposto ao ângulo de 45°?

a. 10 cm.
b. 12 cm.
c. $20\sqrt{2}$ cm.
d. $20\sqrt{3}$ cm.
e. 24 cm.

9) O valor de x na imagem a seguir é:

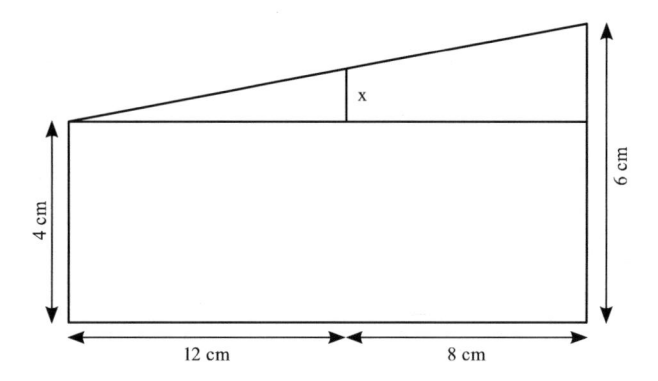

a. 1 cm.
b. 1,1 cm.
c. 1,2 cm.
d. 1,3 cm.
e. 1,5 cm.

10) Segundo a lei dos cossenos e se $\cos 120° = -\dfrac{1}{2}$, a medida de a na figura vale:

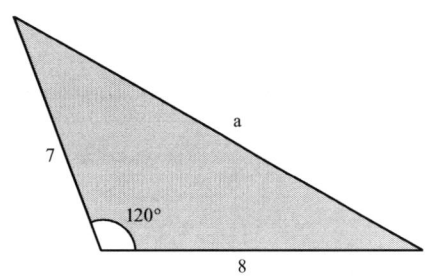

a. 9.
b. 10.
c. 11.
d. 12.
e. 13.

ATIVIDADES DE APRENDIZAGEM

1) Calcule as medidas dos catetos do triângulo retângulo da imagem a seguir sabendo que a hipotenusa mede 10 e $\cos x = \dfrac{3}{5}$.

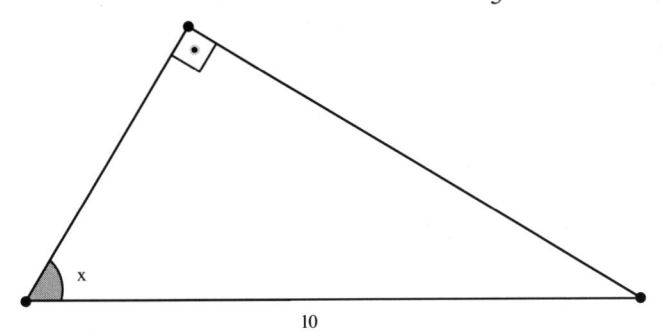

2) Calcule o valor de *x* na imagem seguinte.

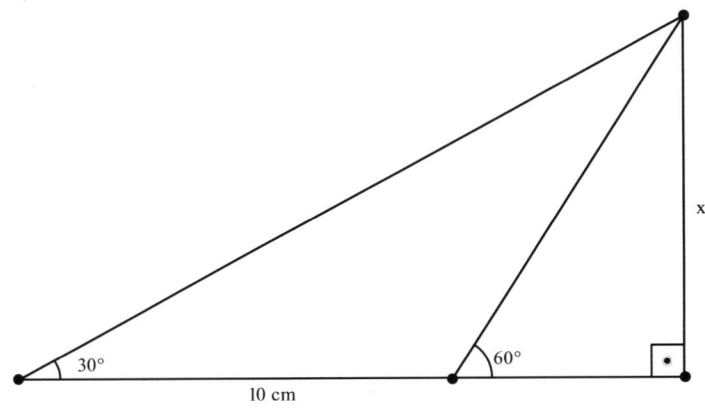

3) Em um triângulo ABC, retângulo em A, o ângulo B mede 30°, e a hipotenusa, 8 cm. Determine as medidas dos catetos $\overline{AC}$ e $\overline{AB}$ desse triângulo.

4) Qual o lado de um quadrado cuja diagonal mede $8\sqrt{2}$ cm?

5) Na imagem seguinte, o ângulo O mede 120°. Calcule o valor de MO segundo a lei dos cossenos, sabendo que $\cos 120° = -\dfrac{1}{2}$.

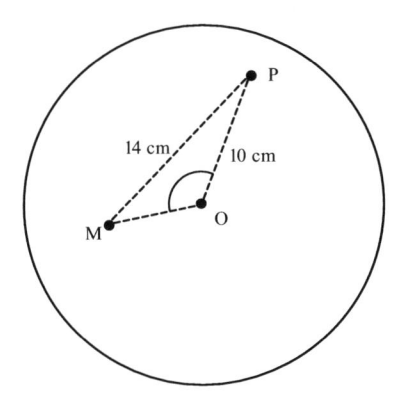

6) Uma pessoa caminha por uma pista triangular saindo do ponto A, passando pelos pontos B e C e retornando ao ponto A, conforme o trajeto a seguir.

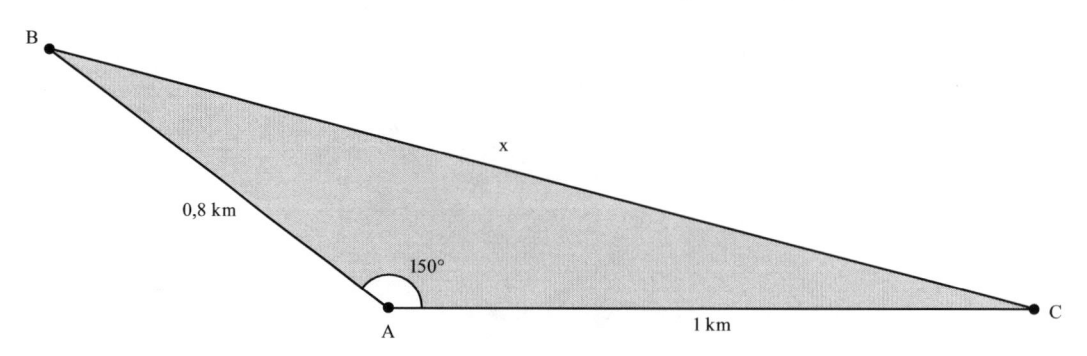

Se $\cos 150° = -\frac{\sqrt{3}}{2}$ e $\sqrt{3} = 1,7$, calcule quantos quilômetros, aproximadamente, essa pessoa percorreu ao completar seu trajeto.

7) Uma rampa tem 4 m de altura em sua parte mais alta. Uma pessoa, após caminhar 10 m sobre a rampa, está a 1 m de altura em relação ao solo. Quantos metros a pessoa deverá caminhar para atingir o ponto mais alto da rampa?

8) Utilize o teorema de Tales para encontrar o valor de x em cada caso, sabendo que as retas a, b e c são paralelas.

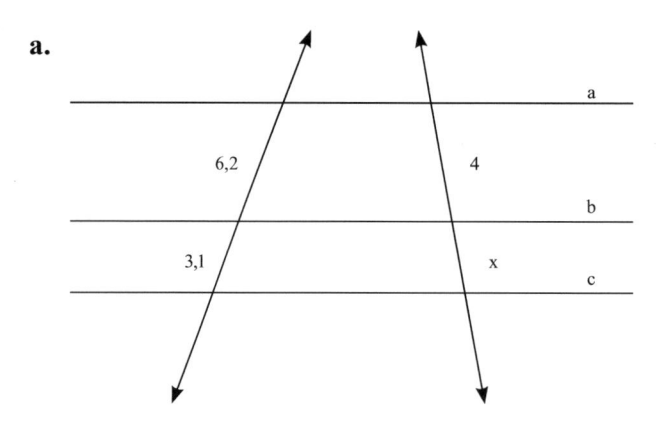

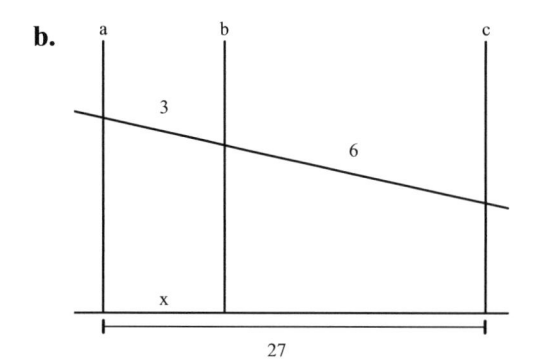

a.

b.

9) Qual o perímetro do triângulo ABC a seguir?

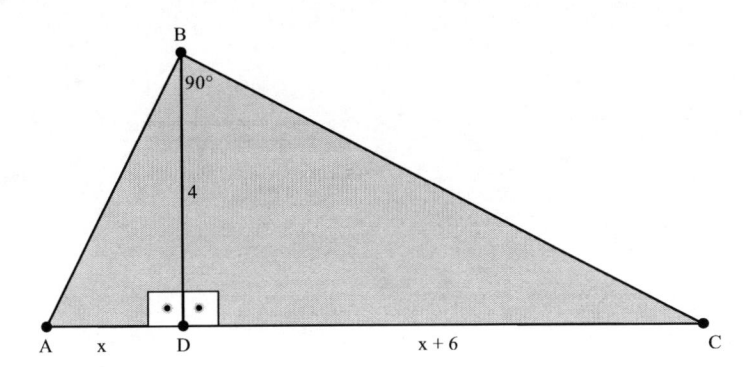

10) Se os ângulos $\hat{B}$ e $\hat{C}$ medem 30°, calcule o valor de x no triângulo seguinte por meio da lei dos senos.

Dado: $\operatorname{sen} 120° = \dfrac{\sqrt{3}}{2}$

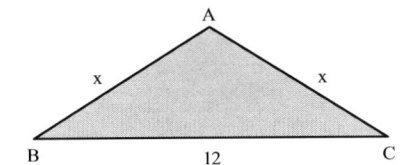

Ana Paula de Andrade Janz Elias
Flavia Sucheck Mateus da Rocha

2 Equações exponenciais e logarítmicas

Transformar situações cotidianas em equações e resolvê-las é um objetivo a ser alcançado pelos estudantes no ensino fundamental. Mais tarde, no ensino médio, percebemos que existem equações que envolvem conhecimentos de potenciação e logaritmo. Essas equações, exponenciais ou logarítmicas, além de poderem representar fenômenos reais, impulsionam diferenciados conhecimentos no ensino superior.

Neste capítulo, abordaremos as equações e as inequações exponenciais e logarítmicas. Para que você desenvolva o conhecimento necessário para resolvê-las, apresentaremos o conceito de potenciação; as propriedades de potenciação; o conceito de logaritmo e sua condição de existência; a aplicação imediata da definição de logaritmo; e as propriedades operacionais dos logaritmos e suas bases especiais; e o processo de mudança de base para logaritmos.

2.1 Potenciação

Imagine que você foi convidado a participar de um grupo em uma rede social. Quando iniciou sua participação, o grupo contava com 3 membros, incluindo você. A partir do segundo dia, cada membro adicionou um amigo diariamente, e assim o grupo foi aumentando consideravelmente. Veja como isso ocorreu no Quadro 2.1 a seguir.

Quadro 2.1 – Quantidade de membros da rede social conforme o dia

Dia	Quantidade de membros
1	3
2	$3 \cdot 2 = 6$
3	$3 \cdot 2 \cdot 2 \cdot = 12$
4	$3 \cdot 2 \cdot 2 \cdot 2 = 24$
5	$3 \cdot 2 \cdot 2 \cdot 2 \cdot 2 = 48$

Como podemos perceber, acontece determinada repetição de multiplicações do fator 2 a partir do segundo dia, conforme o dia. Você consegue calcular quantos membros o grupo terá no décimo dia?

Se completássemos a tabela anterior, verificaríamos que, no dia 10, a quantidade de membros seria:

$$3 \cdot 2 \cdot 2 \cdot 2 \cdot 2 \cdot 2 \cdot 2 \cdot 2 \cdot 2 \cdot 2 = 1\,536$$

Para casos como esse, que envolvem repetição de multiplicação de fatores iguais, podemos utilizar uma operação substituta: a potenciação. Ela também pode ser chamada de *exponenciação* e representa a multiplicação sucessiva de um número por ele mesmo, ou seja, é a multiplicação de fatores iguais.

Portanto, podemos definir *potenciação* da seguinte maneira:

> Seja o número *a* pertencente ao conjunto dos números reais e o número *n* pertencente ao conjunto dos números naturais, tal que *a* elevado a *n* é igual ao número *a* multiplicado por ele mesmo *n* vezes:
> $a \in R$ e $n \in N$
> $a^n = a \cdot a \cdot a \cdot \ldots \cdot a$
> *n* vezes

Chamamos de *base* o número *a*, que é o número multiplicado por ele mesmo. Denominamos *expoente* o número *n*, que é o número de vezes que a base é multiplicada. O resultado da multiplicação é a **potência**.

No caso do exemplo do Quadro 2.1, o número de membros poderia ser escrito como $3 \cdot 2^9$.

2.1.1 Leitura de potência

Quando temos a^n, lemos:

> *a elevado à n-ésima potência*

Para os expoentes 2 e 3, podemos utilizar termos diferenciados. Observe o Quadro 2.2 a seguir.

Quadro 2.2 – Exemplos de leitura das potências

Potência	Leitura
3^2	3 elevado ao **quadrado**
5^3	5 elevado ao **cubo**
10^4	10 elevado à quarta potência
7^5	7 elevado à quinta potência

Exemplo 2.1

Calcule as potências a seguir.

a) 2^5
b) 3^4
c) 9^2
d) 1^{1123}
e) $1\,123^1$

Solução

a) $2^5 = 2 \cdot 2 \cdot 2 \cdot 2 \cdot 2 = 32$
b) $3^4 = 3 \cdot 3 \cdot 3 \cdot 3 = 81$
c) $9^2 = 9 \cdot 9 = 81$
d) $1^{1123} = 1 \cdot 1 \cdot 1 \cdot 1 \cdot 1 \cdot \ldots \cdot 1 = 1$
e) $1\,123^1 = 1\,123$

Devemos ficar atentos à base 1, que sempre resultará em 1, independentemente do o expoente. Já o exemplo da alternativa *e* mostra que o expoente 1 faz com que a base resulte nela mesma. Esses casos fazem parte dos casos especiais de potenciação, que apresentaremos ao longo deste capítulo.

2.1.2 Propriedades de potenciação

Para que possamos realizar atividades com potenciação, é interessante conhecermos algumas propriedades, apresentadas a seguir.

Produto de potências de bases iguais

$$a^m \cdot a^n = a^{m+n}$$

Quando temos a multiplicação de potências com a mesma base, devemos manter a base e somar os expoentes.

Potência de uma potência

$$(a^m)^n = a^{m \cdot n}$$

Quando temos a potência de uma potência, a base permanece e os expoentes são multiplicados.

Potência de um produto

$$(a \cdot b)^n = a^n \cdot b^n$$

Podemos transformar a potência de um produto em um produto de potências.

Quociente de potência de bases iguais

$$\frac{a^m}{a^n} = a^{m-n}, a \neq 0$$

Quando temos o quociente de potência de bases iguais, devemos manter a base e subtrair os expoentes.

Potência de um quociente

$$\left(\frac{a}{b}\right)^n = \frac{a^n}{b^n}, b \neq 0$$

Para a potência de um quociente, devemos transformar a potência em um quociente de potências.

Exemplo 2.2

Utilize as propriedades das potências para reduzir as operações a uma só base.

a) $2^2 \cdot 2^3$
b) $7^{10} : 7^2$
c) $x^3 \cdot x^{-8}$
d) $12^5 : 12^{-8}$
e) $(4^5)^3$

Solução

a) $2^2 \cdot 2^3 = 2^{2+3} = 2^5$
b) $7^{10} : 7^2 = 7^{10-2} = 7^8$
c) $x^3 \cdot x^{-8} = x^{3+(-8)} = x^{3-8} = x^{-5}$
d) $12^5 : 12^{-8} = 12^{5-(-8)} = 12^{5+8} = 12^{13}$
e) $(4^5)^3 = 4^{5 \cdot 3} = 4^{15}$

2.1.3 Casos especiais de potenciação

Agora, vamos conferir algumas características específicas para expoentes iguais a 1 e a 0 e também para expoentes negativos ou fracionários. Além disso, vamos ver o caso de bases negativas.

Expoente 1
Em um número real, o expoente 1 não altera a base. Logo:

$$a^1 = a$$

Expoente 0
Quando o expoente é 0, a potência é sempre igual a 1, independentemente da base. Assim:

$$a^0 = 1$$

No dia a dia, costumamos afirmar que todo número elevado a 0 é igual a 1. Nesta obra, consideramos que 0^0 equivale a 1. Contudo, na disciplina de Cálculo Diferencial e Integral do ensino superior e para alguns autores, esse valor é considerado uma indeterminação.

Expoente negativo
A definição de potência considera como expoente qualquer número natural. De fato, não faz sentido multiplicarmos a base por ela mesma uma quantidade negativa de vezes. Por isso, quando o expoente de uma potência for negativo, adotamos a seguinte regra:

Dados um número real a, não nulo, e um número natural n, a potência de base a e expoente $-n$ é:

$$a^{-n} = \left(\frac{1}{a}\right)^n$$

Desse modo, temos, por exemplo:

a) $2^{-3} = \left(\frac{1}{2}\right)^3 = \frac{1^3}{2^3} = \frac{1}{8}$

b) $\left(\frac{2}{3}\right)^{-2} = \left(\frac{3}{2}\right)^2 = \frac{3^2}{2^2} = \frac{9}{4}$

Note que a base é invertida e o expoente se mantém, mas sem o sinal negativo. Logo, podemos afirmar que o **expoente negativo inverte a base**. Se utilizarmos a propriedade de quociente de potências de bases iguais, constatamos essa da regra. Observe o cálculo a seguir.

Ao calcularmos $2^3 : 2^5$, obtemos $\dfrac{2\cdot 2\cdot 2}{2\cdot 2\cdot 2\cdot 2\cdot 2} = \dfrac{1}{2\cdot 2} = \dfrac{1}{4}$. Se aplicarmos a propriedade citada, teremos:

$$\dfrac{2^3}{2^5} = 2^{3-5} = 2^{-2}$$

Assim, $2^{-2} = \dfrac{1}{4}$, ou seja, $2^{-2} = \left(\dfrac{1}{2}\right)^2$.

Expoente fracionário

Como mencionamos, a definição inicial de potência admite como expoente os números naturais. Vimos também que os expoentes negativos demandam um procedimento específico. Outro tipo de expoente que requer nossa atenção é o fracionário. Para esclarecer, vamos considerar a potência $a^{\frac{m}{n}}$.

Se a é um número real positivo, m é um número inteiro e n é um número natural não nulo, temos:

$$a^{\frac{m}{n}} = \sqrt[n]{a^m}$$

Quando escrevemos um número com potência fracionária, temos as seguintes particularidades:

- O numerador da potência corresponde ao expoente do número que está no radicando.
- O denominador da potência refere-se ao índice da raiz.

Veja alguns exemplos:

a) $2^{\frac{3}{4}} = \sqrt[4]{2^3}$

b) $5^{\frac{2}{9}} = \sqrt[9]{5^2}$

c) $10^{\frac{1}{2}} = \sqrt{10}$

O índice 2 é normalmente omitido no radical, assim como o expoente 1 no radicando.

Base negativa

Observe alguns casos de potências com bases negativas e expoentes naturais:

$(-2)^2 = (-2) \cdot (-2) = +4$

$(-2)^3 = (-2) \cdot (-2) \cdot (-2) = -8$

$(-3)^4 = (-3) \cdot (-3) \cdot (-3) \cdot (-3) = +81$

$(-10)^5 = (-10) \cdot (-10) \cdot (-10) \cdot (-10) \cdot (-10) = -100\,000$

Quando multiplicamos números inteiros, utilizamos a regra de sinais. Então, podemos observar que, conforme a quantidade de repetições de multiplicações, temos um resultado positivo ou negativo. Portanto:

- Quando a base for negativa e o expoente for um número natural par, a potência será positiva.
- Quando a base for negativa e o expoente for um número natural ímpar, a potência será negativa.

Agora que conhecemos algumas particularidades sobre as potências, vamos acompanhar os exemplos a seguir.

Exemplo 2.3

Calcule as potências.

a) 25^1

b) $1\,204^0$

c) 3^{-1}

d) $\left(\dfrac{2}{3}\right)^{-7}$

e) $25^{\frac{1}{2}}$

f) $12^{\frac{6}{7}}$

g) $(-6)^3$

h) $(-4)^4$

Solução

a) 25

b) 1

c) $\left(\dfrac{1}{3}\right)^1 = \dfrac{1}{3}$

d) $\left(\dfrac{3}{2}\right)^7 = \dfrac{3^7}{2^7} = \dfrac{2\,187}{128}$

e) $\sqrt{25} = 5$

f) $\sqrt[7]{12^6}$

g) $(-6) \cdot (-6) \cdot (-6) = -216$

h) $(-4) \cdot (-4) \cdot (-4) \cdot (-4) = +256$

> **FIQUE ATENTO!**
>
> Lembre-se de que a operação de potência é realizada antes da multiplicação. Em casos como $-(-2)^2$, não devemos aplicar a regra de sinal antes da potência, mas sim aplicá-la depois da solução da potência, obtendo -4 como resultado para essa operação.

2.2 Equação exponencial

Vamos pensar neste caso hipotético para entendermos a equação exponencial:

> Certa cultura de bactéria possuía, inicialmente, 1 000 bactérias. O número foi dobrando a cada hora. Sabemos que, no momento atual, a cultura possui 512 000 bactérias.
>
> Podemos representar essa situação por meio da seguinte equação, na qual t representa o tempo transcorrido em horas:
>
> $1\,000 \cdot 2^t = 512\,000$
>
> Para sabermos quantas horas se passaram desde o início da contagem, precisamos resolver essa equação. Você saberia resolvê-la?

Toda equação que apresenta incógnita no expoente é denominada de ***equação exponencial***. Esse tipo de equação deve ter a base maior que 0 e diferente de 1. Veja os exemplos:

$2^{x+3} = 8$

$4^x = 64$

Para resolvermos uma equação exponencial, podemos transformar a igualdade dada em potências de bases iguais. Desse modo, trabalhamos apenas com os expoentes, pois quando as bases forem iguais, os expoentes, obviamente, devem ser iguais.

> $a^x = a^y$
>
> $x = y$

Observe este exemplo:

$2^{x+3} = 8$

$2^{x+3} = 2^3$

$x + 3 = 3$

$x = 3 - 3$

$x = 0$

Agora, vamos resolver a equação referente às bactérias do nosso caso hipotético:

$$1\,000 \cdot 2^t = 512\,000$$
$$2^t = \frac{512\,000}{1\,000}$$
$$2^t = 512$$
$$2^t = 2^9$$
$$t = 9$$

Desse modo, podemos concluir que se passaram 9 horas para que a cultura tenha atingido o número de 512 000 bactérias.

Algumas equações exponenciais demandam o uso de propriedades de potência antes da fatoração. Observe:

$$2^{x+2} + 2^{x+3} = 384$$

Para resolvermos essa equação, devemos adotar algumas propriedades de potências. Como já vimos, a multiplicação de potências de mesma base resulta na soma de expoentes. Assim, podemos transformar as somas dos expoentes em multiplicações de potências:

$$2^{x+2} = 2^x \cdot 2^2$$
$$2^{x+3} = 2^x \cdot 2^3$$

Se fizermos a substituição na equação original, teremos:

$$2^x \cdot 2^2 + 2^x \cdot 2^3 = 384$$

O próximo passo é colocarmos o fator comum em evidência e resolver a equação:

$$2^x \cdot (2^2 + 2^3) = 384$$
$$2^x \cdot (4 + 8) = 384$$
$$2^x \cdot 12 = 384$$
$$2^x = \frac{384}{12}$$
$$2^x = 32$$
$$2^x = 2^5$$
$$x = 5$$

Caso a equação apresente subtrações no expoente, é possível utilizarmos a propriedade de quociente de potência de bases iguais. Veja o exemplo a seguir:

$$3^{x+3} + 3^{x-1} = 246$$

$$3^x \cdot 3^3 + \frac{3^x}{3^1} = 246$$

$$3^x \cdot \left(3^3 + \frac{1}{3^1}\right) = 246$$

$$3^x \cdot \left(27 + \frac{1}{3}\right) = 246$$

$$3^x \cdot \left(\frac{81+1}{3}\right) = 246$$

$$3^x \cdot \frac{82}{3} = 246$$

$$3^x \cdot 82 = 246 \cdot 3$$

$$3^x = \frac{738}{82}$$

$$3^x = 9$$

$$3^x = 3^2$$

$$x = 2$$

Exemplo 2.4

Um cientista observou que uma determinada cultura apresentava 300 bactérias em um dado momento e, triplicando essa quantidade a cada hora, após certo período continha 72 900 bactérias. Quanto tempo se passou para que houvesse esse crescimento no número de bactérias?

Solução

Podemos utilizar a seguinte equação para representar a situação:

$$300 \cdot 3^t = 72\,900$$

$$3^t = \frac{72\,900}{300}$$

Ao resolvermos o problema, temos:

$$3^t = \frac{72\,900}{300}$$

$$3^t = 243$$

$$3^t = 3^5$$

$$t = 5 \text{ horas}$$

Exemplo 2.5

Um determinado material se decompõe ao longo do tempo. Se considerarmos t em anos, a quantidade desse material que resiste ao processo de decomposição é dada por

$Q = Q_0 \cdot 2^{-0,25\,t}$, em que Q_0 representa a quantidade inicial do material. Quanto tempo deve transcorrer para que tenhamos exatamente a metade da quantidade inicial do material?

■ Solução

Nesse caso, temos a seguinte equação:

$$Q = \frac{Q_0}{2}$$

Ao resolvê-la, temos:

$$\frac{Q_0}{2} = Q_0 \cdot 2^{-0,25\,t}$$

$$\frac{1}{2} = 2^{-0,25\,t}$$

$$2^{-1} = 2^{-0,25\,t}$$

$$-1 = -0,25\,t$$

$$t = \frac{1}{0,25}$$

$$t = 4 \text{ anos}$$

2.3 Inequações exponenciais

Toda inequação que apresenta a incógnita no expoente é denominada *inequação exponencial*. Vale lembrar que as inequações são desigualdades que auxiliam a determinar um intervalo, de maneira que uma desigualdade dada seja válida, como em $x^2 < 3^5$. Tal inequação não é exponencial porque não apresentou incógnita no expoente.

Agora observe um exemplo de uma inequação exponencial:

$$2^{x+4} > 8$$
$$2^{x+4} > 2^3$$
$$x + 4 > 3$$
$$x > 3 - 4$$
$$x > -1$$

Ao analisarmos a reta dos números reais, a resolução dessa inequação fica à direita do número –1. Observe a Figura 2.1 a seguir.

Figura 2.1 – Reta dos números reais com a resolução da inequação

Para resolvermos uma inequação exponencial, precisamos levar em consideração a sua base:

$$a^x > a^y \to x > y \text{ (se } a > 1)$$

Quando a base for maior que 1, o sinal se mantém, como no exemplo dado anteriormente:

$$a^x < a^y \to x < y \text{ (se } 0 < a < 1)$$

Quando as bases iguais estiverem entre 0 e 1, o sinal inverte:

$$\left(\frac{1}{2}\right)^{(x-1)} \geq \left(\frac{1}{2}\right)^2$$

Note que $\frac{1}{2} = 0,5$, ou seja, está entre 0 e 1. Assim, o sinal precisa ser invertido:

$$x - 1 \leq 2$$
$$x \leq 2 + 1$$
$$x \leq 3$$

Exemplo 2.6

Qual a solução para a inequação $0,5^x < 1$?

Solução

Ao igualarmos as bases, temos:

$$0,5^x < 0,5^0$$

Como a base está entre 0 e 1, invertemos o sinal:

$$x > 0$$

A solução é dada por $S = \{x \in \mathbb{R} \mid x > 0\}$.

Exemplo 2.7

Qual a solução da inequação $3^{x-3} > \left(\frac{1}{9}\right)^{x+3}$?

Solução

Ao igualarmos as bases, temos:

$$3^{x-3} > (3^{-2})^{x+3}$$
$$3^{x-3} > 3^{-2x-6}$$

Como a base é maior que 1, mantemos o sinal:

$x - 3 > -2x - 6$

$x + 2x > -6 + 3$

$3x > -3$

$x > -\dfrac{3}{3}$

$x > -1$

2.4 Logaritmo

Nem sempre tivemos calculadoras e todos os outros recursos tecnológicos que nos auxiliam em cálculos variados. Antigamente, desenvolver longos cálculos com multiplicação e divisão eram tarefas complexas, até mesmo para grandes matemáticos. Vários cientistas estudaram métodos que pudessem simplificar tais cálculos e, assim, no ano de 1614, John Napier (1550-1617) elaborou a primeira tábua de logaritmos.

Figura 2.2 – Tábua de logaritmos

Juriaan Wossink/Shutterstock

Napier percebeu que poderia simplificar determinados cálculos ao transformar multiplicações em somas e divisões em subtrações por meio das propriedades de potenciação.

Por exemplo, suponha que você deseje calcular $32 \cdot 64$. Ao substituir esses números e utilizar a propriedade da multiplicação de potências de mesma base, você obteria:

$2^5 \cdot 2^6 = 2^{11}$

Caso você não saiba o valor de 2^{11}, não terá êxito no cálculo do produto, mas, se houvesse uma tabela com os resultados de potências, você saberia o valor de $32 \cdot 64$. Foram tabelas como essa que auxiliaram os matemáticos durante anos em cálculos de multiplicação e divisão com números com muitos algarismos.

Basicamente, nesse raciocínio, há a substituição de um número considerado de difícil resolução por uma potência. Para isso, escolhia-se uma base e encontrava-se o expoente apropriado. Assim, para substituir o número 32 do nosso exemplo, primeiro era determinada a base a ser utilizada e, em seguida, o expoente que validaria a substituição. A esse procedimento, foi dado o nome de *logaritmo* (log).

O logaritmo de 32 na base 2, então, é o número 5, já que 5 deve ser o expoente de 2 para o resultado ser 32, ou seja:

$$\log_2 32 = 5$$

O **logaritmo** é a operação inversa da potenciação e pode ser definido da seguinte maneira:

> $\log_a b = x \Leftrightarrow a^x = b$ para a e b positivos e $a \neq 1$
> Em que:
> a é a **base do logaritmo**;
> b é o **logaritmando**;
> x é o **logaritmo**.

O QUE É

Em homenagem a Napier, foi dado o nome de *logaritmo neperiano* ao log de base e ($\log_e b = \ln b$). Também conhecido como *logaritmo natural*, tem como base o número irracional $e = 2{,}71828\ldots$

Exemplo 2.8

Calcule os seguintes logaritmos.

a) $\log_3 27$
$3^x = 27$
$3^x = 3^3$
$x = 3$

b) $\log_{10} 1\,000$
$10^x = 1\,000$
$10^x = 10^3$
$x = 3$

c) $\log_2 \dfrac{1}{8}$

$2^x = \dfrac{1}{8}$

$2^x = \dfrac{1}{2^3}$

$2^x = \left(\dfrac{1}{2}\right)^3$

$2^x = 2^{-3}$

$x = -3$

d) $\log_5 \sqrt[3]{25}$

$5^x = \sqrt[3]{25}$

$5^x = \sqrt[3]{5^2}$

$5^x = 5^{\frac{2}{3}}$

$x = \dfrac{2}{3}$

e) $\log_{625} \sqrt{5}$

$625^x = \sqrt{5}$

$(5^4)^x = 5^{\frac{1}{2}}$

$5^{4x} = 5^{\frac{1}{2}}$

$4x = \dfrac{1}{2}$

$x = \dfrac{1}{8}$

> **FIQUE ATENTO!**
>
> Quando o logaritmo tem base 10, podemos omitir a base ao escrever esse log. Assim, log 1 000 = 3, pois $(10)^3 = 1\,000$.

2.4.1 Condição de existência de logaritmo

Conforme vimos na definição de logaritmo, a existência de $\log_a b$ depende de *a* e *b* serem positivos e a ≠ 1. Desse modo, podemos estabelecer duas condições para que exista $\log_a b$:

> 1) Logaritmando positivo: b > 0.
> 2) Base positiva e diferente de 1: a > 0 e a ≠ 1.

Exemplo 2.9

Para que valores de *x* existe $\log_5 (x - 2)$?

■ Solução

Como a base é 5, já é positiva e diferente de 1, basta, então, verificar o logaritmando. Nesse caso, x – 2 deve ser positivo:

$x - 2 > 0$

$x > 2$

Logo, $\log_5 x - 2$ existe para todo *x* real, tal que x > 2.

2.4.2 Consequências da definição de logaritmo

Com base na definição de logaritmo, verificamos que:

> $\log_a 1 = 0$ para qualquer a > 0 e a ≠ 1

Quando estudamos potenciação, vimos que todo número elevado a 0 resulta em 1. Assim, o logaritmo de 1 será 0 para qualquer base, desde que atenda à condição de existência:

$\log_a a = 1$ para qualquer $a > 0$ e $a \neq 1$

Quando a base coincidir com o logaritmando, o resultado será 1, desde que observadas as condições de existência:

$\log_a a^m = m$ para qualquer $a > 0$, $a \neq 1$ e m um número real

Se considerarmos $\log_a a^m = x$, teremos $a^x = a^m$. Logo, $x = m$.

$a^{\log_a b} = b$ para qualquer $a > 0$, $a \neq 1$ e $b > 0$

Se $\log_a b = x$, temos $a^x = b$.
Ao substituirmos $\log_a b$ por x em $a^{\log_a b}$, obtemos a^x, que já verificamos que resulta em b:

$\log_a b = \log_a c \Leftrightarrow b = c$ para todo $a > 0$, $a \neq 1$, $b > 0$ e $c > 0$

Se $a^x = b$ e $a^x = c$, então $b = c$. Se $b = c$, $a^x = b$ e $a^y = c$, então $x = y$.

As consequências descritas podem facilitar a resolução de operações com logaritmos. Confira o Exemplo 2.10 a seguir.

Exemplo 2.10

Calcule $\log_7 7^5 + \log_{12} 1^5 - 3^{\log_3 5}$.

Solução

Com base na operação do enunciado, temos:

$\log_7 7^5 = 5$

$\log_{12} 1^5 = \log_{12} 1 = 0$

$3^{\log_3 5} = 5$

Desse modo, a operação resultará em $5 + 0 - 5 = 0$.
Portanto, $\log_7 7^5 + \log_{12} 1^5 - 3^{\log_3 5} = 0$.

2.4.3 Propriedades dos logaritmos

Agora, vamos conhecer as propriedades dos logaritmos que são capazes de auxiliar na resolução de exercícios que envolvam log.

Logaritmo do produto

Em uma mesma base, o logaritmo do produto de dois números positivos é igual à soma do logaritmo de cada um desses números. Ou seja:

$$\log_c (a \cdot b) = \log_c a + \log_c b$$
Para $c > 0$ e $c \neq 1$ e para $a > 0$ e $b > 0$

Logaritmo do quociente

Em uma mesma base, o logaritmo do quociente de dois números positivos é igual à diferença entre o logaritmo de cada um desses números. Portanto:

$$\log_d \left(\frac{m}{n}\right) = \log_d m - \log_d n$$
Para $d > 0$ e $d \neq 1$ e para $m > 0$ e $n > 0$.

Logaritmo de potência

Um logaritmo para o qual o seu logaritmando é uma potência pode ser reescrito de maneira que o expoente do logaritmando passe a multiplicar o logaritmo dado sem o expoente. Ou seja:

$$\log_a b^n = n \cdot \log_a b$$
Para $a > 0$ e $a \neq 1$ e para $b > 0$.

Para utilizar as três propriedades logarítmicas anteriores, é preciso que os logaritmos estejam em uma mesma base. Contudo, existem situações nas quais encontramos logaritmos com bases diferentes e precisamos primeiramente transformá-los para que suas bases fiquem iguais. Nesse caso, utilizamos a mudança de base de logaritmo, propriedade que veremos a seguir.

Mudança de base de logaritmo

Sejam os números reais a, b e c positivos e $a \neq 1$ e $c \neq 1$, temos:

$$\log_a b = \frac{\log_c b}{\log_c a}$$

Exemplo 2.11

Se log 2 = a e log 3 = b, quanto é log 6 e log 5?

Solução

$$\log 6 = \log 2 \cdot 3 = \log 2 + \log 3 = a + b$$
$$\log 5 = \log \frac{10}{2} = \log 10 - \log 2 = 1 - a$$

Exemplo 2.12

Expresse na base 5 o seguinte logaritmo: $\log_3 7$.

Solução

$$\log_3 7 = \frac{\log_5 7}{\log_5 3}$$

Exemplo 2.13

Calcule $\log_{15} 5$ sabendo que $\log_{45} 3 = a$ e $\log_{45} 5 = c$.

Solução

$$\log_{15} 5 = \frac{\log_{45} 5}{\log_{45} 15} = \frac{c}{\log_{45}(3 \cdot 5)} = \frac{c}{\log_{45} 3 + \log_{45} 5} = \frac{c}{a + c}$$

Exemplo 2.14

Se log 2 = 0,30 e log 3 = 0,47, quanto é log 288?

Solução

$$\log 288 = \log 2^5 \cdot 3^2 = \log 2^5 + \log 3^2 =$$
$$= 5 \cdot \log 2 + 2 \cdot \log 3 = 5 \cdot 0{,}30 + 2 \cdot 0{,}47 = 1{,}5 + 0{,}94 = 2{,}44$$

FIQUE ATENTO!

Você também pode utilizar a calculadora para calcular o valor de logaritmos. A maioria das calculadoras científicas conta com o comando *log*, que considera a base 10.

2.4.4 Logaritmos e equações exponenciais

O uso de logaritmos auxilia a resolver equações ou inequações exponenciais com bases diferentes que não podemos igualar com fatoração, por exemplo:

$$2^x = 3$$

Para resolver esse exemplo, precisamos conhecer o valor de alguns logaritmos e aplicar suas propriedades:

$$\log 2^x = \log 3$$
$$x \cdot \log 2 = \log 3$$
$$x = \frac{\log 3}{\log 2}$$

Nesse caso, devemos utilizar o valor aproximado do logaritmo de 3 e do logaritmo de 2 para determinar o valor de x. Assim:

$$x = \frac{0{,}47}{0{,}30} = 1{,}567$$

Exemplo 2.15

Antes da Lei Seca, o Código de Trânsito Brasileiro determinava que o limite tolerável de álcool no sangue para uma pessoa dirigir um automóvel era de até 0,6 g/L (Brasil, 1997, art. 276). Vários fatores influenciam na redução do nível alcoólico após o indivíduo interromper o consumo, como situações genéticas e tipo de bebida ingerida. Em uma dada situação, um indivíduo estava com 3 g/L de álcool no sangue. A redução desse nível para o limite tolerável ocorreu conforme a equação a seguir:

$$0{,}6 = 3 \cdot 2^{-0{,}5\,t}$$

Determine o valor de t, medido em horas, utilizando $\log 2 = 0{,}30$.

Solução

Primeiro, vamos tentar igualar as bases:

$$\frac{0{,}6}{3} = 2^{-0{,}5\,t}$$
$$\frac{1}{5} = 2^{-0{,}5\,t}$$
$$5^{-1} = 2^{-0{,}5\,t}$$

Como não é possível deixar os dois membros com bases iguais, utilizamos o logaritmo:

$\log 5^{-1} = \log 2^{-0,5\,t}$

$-1 \cdot \log 5 = -0,5\,t \cdot \log 2$

$-1 \cdot \log \dfrac{10}{2} = -0,5\,t \cdot 0,30$

$-1 \cdot (\log 10 - \log 2) = -0,15\,t$

$-1 \cdot (1 - 0,30) = -0,15\,t$

$-1 \cdot 0,70 = -0,15\,t$

$-0,70 = -0,15\,t$

$t = \dfrac{0,70}{0,15}$

$t = 4,6666\ldots$

$t \cong 4$ horas e 40 minutos

2.5 Equações logarítmicas

Uma equação que tenha a variável no logaritmo, na base, no logaritmando ou nos dois é chamada de *equação logarítmica*. Para resolver esse tipo de equação, podemos utilizar as propriedades apresentadas anteriormente, bem como a definição.

Vejamos algumas formas nas quais essas equações se apresentam.

- Se tivermos uma equação na qual a igualdade for de logaritmos de bases iguais, podemos simplificá-la, igualando somente o logaritmando. Ou seja:

$\log_a b = \log_a c$
$b = c$

É preciso verificar se a condição de existência do logaritmo é atendida. Devemos lembrar que a base deve ser maior que 0 e diferente de 1 e, especialmente, que o logaritmando deve ser maior que 0.

- Se tivermos uma equação na qual a igualdade for entre um logaritmo e um número real, aplicamos a definição de logaritmo e resolvemos a equação. Assim:

$\log_a b = x \rightarrow a^x = b$

- Para resolvermos algumas equações, podemos substituir o logaritmo presente por uma variável. Veja:

$3 \cdot \log_3 x + \log_3 x = 8$

Por substituição, tomamos $\log_3 x = y$ e aplicamos na equação anterior:

$3 \cdot y + y = 8$

$4y = 8$

$y = \dfrac{8}{4}$

$y = 2$

Como $\log_3 x = y$, temos:

$\log_3 x = 2$

Pela definição, chegamos a:

$3^2 = x$

$x = 9$

2.6 Inequações logarítmicas

As inequações têm incógnita envolvida com logaritmo são chamadas de *inequações logarítmicas*. Observe alguns exemplos:

a) $\log_3 x > 10$
b) $\log (x - 5) < \log x + 2$
c) $\log_{0,7} x > 12$

Assim como procedemos de modo diferente conforme a base das inequações exponenciais, nas inequações logarítmicas devemos observar os valores das bases para definirmos se manteremos ou inverteremos o sinal da desigualdade:

$\log_a x > \log_a y \rightarrow x > y$ (se $a > 1$)
Quando a base for maior que 1, o sinal se mantém.
$\log_a x > \log_a y \rightarrow x < y$ (se $0 < a < 1$)
Quando as bases iguais estiverem entre 0 e 1, o sinal inverte-se.

Além disso, devemos verificar a condição de existência de log ao resolver inequações. Veja este exemplo:

$\log_{0,1} (x - 5) > \log_{0,1} 2$

Devemos observar se base e logaritmando atendem às seguintes condições:

- A base é positiva e diferente de 1 e está entre 0 e 1.
- O logaritmando é maior que 0.

Ou seja, x − 5 > 0. Logo, x > 5.

Como a base está entre 0 e 1, devemos inverter o sinal da inequação:

x − 5 < 2
x < 2 + 5
x < 7

Desse modo, temos duas condições para analisar: 1) condição de existência x > 5 e 2) inequação x < 7. Observe a Figura 2.3 a seguir.

Figura 2.3 – Reta numérica com as condições da inequação logarítmica

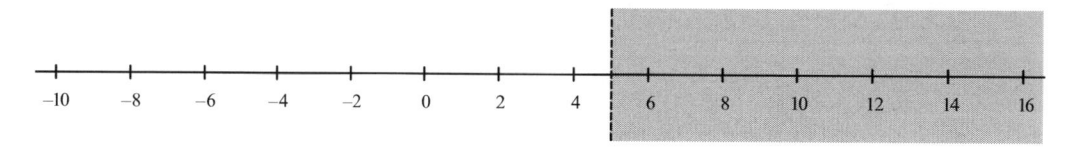

x > 5

x < 7

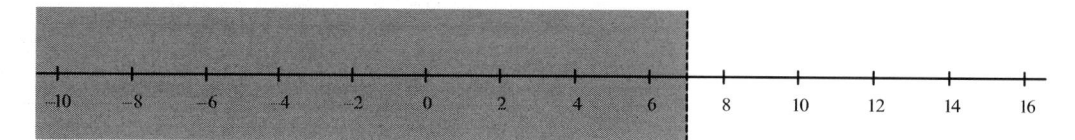

Por fim, podemos perceber que, para satisfazer às duas condições ao mesmo tempo, teremos um intervalo aberto, que vai de 5 até 7, representado na Figura 2.4 seguinte.

Figura 2.4 – Reta numérica com a solução da inequação logarítmica

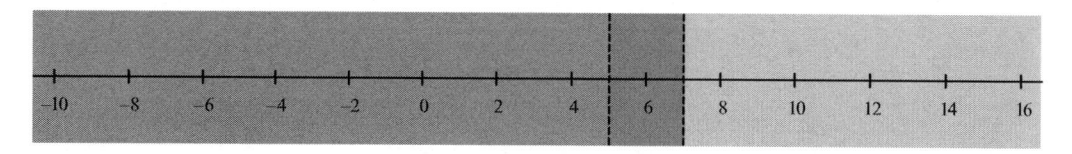

$S = \{x \in \mathbb{R} \mid 5 < x < 7\}$

Síntese

Neste capítulo, vimos como resolver equações e inequações exponenciais e logarítmicas, entendendo que, para resolvê-las, é importante dominar o conceito de potenciação e suas propriedades.

> As equações exponenciais podem ser solucionadas por meio de fatoração, deixando os dois membros da equação com a mesma base. Um outro modo de resolver esse tipo de equação é aplicando as propriedades de potenciação de multiplicação e de divisão de bases iguais.
>
> Com relação aos logaritmos, além da definição, conhecemos suas propriedades, que muito nos auxiliam na resolução de equações.
>
> Os conteúdos deste capítulo podem auxiliar em situações do cotidiano, pois encontramos crescimento e decrescimento exponencial em variados acontecimentos do nosso dia a dia.

Atividades de autoavaliação

1) Ao resolvermos a expressão $2^3 - 5 \cdot 4^1 + 2 \cdot 5^0 - (-3)^2 + 1^{1\,026}$, obteremos como resultado:

   a. 1 036.
   b. 15.
   c. 0.
   d. –18.
   e. 1 007.

2) Qual o valor de x se $5^{x+1} = 125$?

   a. 3.
   b. –3.
   c. 2.
   d. 1.
   e. 0.

3) O conjunto solução da equação exponencial $3^{x-2} = \dfrac{1}{81}$ é:

   a. S = {4}.
   b. S = {–4}.
   c. S = {6}.
   d. S = {–2}.
   e. S = {2}.

4) Uma das soluções da equação $3^{x^2-3} = \dfrac{1}{9}$ é:

   a. 0.
   b. 1.
   c. 2.
   d. 3.
   e. 4.

5) Se $2^{x+2} = 32$, qual o valor de $x^3 - 2$?

   a. 32.
   b. 30.
   c. 28.
   d. 27.
   e. 25.

6) Assinale a alternativa que apresenta o conjunto solução da inequação $\left(\dfrac{1}{2}\right)^{x-2} \leq \dfrac{1}{4}$.

   a. $\{x \in \mathbb{R} \,/\, x \geq 4\}$.
   b. $\{x \in \mathbb{R} \,/\, x \leq 4\}$.
   c. $\{x \in \mathbb{R} \,/\, 2 < x < 4\}$.
   d. $\{x \in \mathbb{R} \,/\, 0 \leq x \leq 4\}$.
   e. $\{x \in \mathbb{R} \,/\, x < 0\}$.

7) Se $\log x = a$ e $\log y = b$, $\log (x^2 \cdot y^3)$ vale:

   a. $a^2 \cdot b^3$.
   b. $2a \cdot 3b$.
   c. $2a + 3b$.
   d. $a^2 + b^3$.
   e. $a^2 - b^2$.

8) Marque a opção que apresenta o logaritmo de 81 na base 3.

   a. 27.
   b. 4.
   c. 10.
   d. 3.
   e. 8.

9) O valor de $\log_{\frac{1}{4}} \sqrt[3]{128}$ é igual a:

   a. $\dfrac{32}{7}$.
   b. $\dfrac{7}{4}$.
   c. $-\dfrac{7}{6}$.
   d. $-\dfrac{7}{3}$.
   e. $\dfrac{32}{3}$.

10) O valor da expressão $\dfrac{\log_7 7^2 + 4^{\log_4 5}}{2}$ é:

   a. $\dfrac{7}{2}$.
   b. 4.
   c. 6.
   d. 8.
   e. $\dfrac{11}{2}$.

ATIVIDADES DE APRENDIZAGEM

1) Faça os cálculos a seguir.

   a. 2^4
   b. $(-5)^3$
   c. $1\,240^0$
   d. 2^{-3}
   e. $4^{\frac{1}{2}}$

2) Reduza as potências a seguir a uma única potência.

   a. $3^2 \cdot 3^3$
   b. $2^3 \cdot 4 \cdot 8$
   c. $x^2 : x^{-2}$
   d. $6^9 : 6^7$
   e. $(x^2)^3$
   f. x^{2^3}

3) Resolva as equações a seguir.

   a. $2^x = 8$
   b. $5^x = \dfrac{1}{125}$
   c. $3^{x+1} = \sqrt{243}$
   d. $\left(\dfrac{1}{9}\right)^{2x+1} = \sqrt[5]{81}$
   e. $3^{x+1} = 27$
   f. $25^{x-2} = 1$
   g. $x^{x^2-7x-18} = 1$
   h. $3^{x+2} + 3^{x+3} = 108$
   i. $2^{x+4} - 2^{x+2} = 12$

4) Calcule x de modo que a obter $10^{2x-4} = 1$.

5) Calcule o resultado da inequação $\log_2 2x - 5 > \log_2 x + 1$.

6) Uma bactéria se desenvolve segundo a lei $N(x) = 50 \cdot 2^{\frac{t}{2}}$, em que t representa o tempo em horas e $N(x)$, o número de bactérias existentes ao longo do tempo. Determine:

   a. o número inicial de bactérias;
   b. o número de bactérias após 4 horas;
   c. o tempo transcorrido quando existirem 1 600 bactérias.

7) Uma população de bactérias começa com 100 microrganismos e dobra a cada três horas. Assim, o número n de bactérias após t horas é dado pela função $N(t) = m \cdot 2^{\frac{t}{3}}$. Nessas condições, determine o tempo necessário para que a população esteja com 51 200 bactérias.

8) Calcule os logaritmos a seguir.

   a. $\log_2 16$
   b. $\log_5 125$
   c. $\log_3 \dfrac{1}{27}$
   d. $\log 1\,000$
   e. $\log_{\frac{1}{4}} 16$
   f. $\log \dfrac{1}{1000}$
   g. $\log_3 81$
   h. $\log_2 \sqrt[5]{4}$
   i. $\log_3 \sqrt[3]{81}$
   j. $\log_4 64$

9) Se $\log 2 = 0{,}30$ e $\log 3 = 0{,}47$, determine:

   a. $\log 5$;
   b. $\log 6$;
   c. $\log_5 18$.

10) Certo cliente bancário investiu R$ 12 000,00 em uma aplicação financeira por um determinado tempo t. Ao fim do período, sua aplicação estava com um saldo de R$ 12 734,40. A equação seguinte representa a situação descrita. Determine o tempo da aplicação sabendo que foi medido em meses. Use $\log 1{,}02 = 0{,}0086$ e $\log 1{,}0612 = 0{,}0258$.

    $$12\,734{,}40 = 12\,000 \cdot 1{,}02^t$$

Flavia Sucheck Mateus da Rocha
Paulo Martinelli

3

Sequências numéricas

A palavra *sequência* está presente constantemente em nosso dia a dia. Retiramos senhas, entramos em filas, organizamos objetos, planejamos nosso tempo em dias, meses e anos. São várias as situações que nos remetem a reunir elementos, cores, objetos ou números em forma sequencial.

Neste capítulo, estudaremos as sequências numéricas. Para isso, iniciaremos com o conceito de sequência. Depois, veremos a progressão aritmética (PA) e a soma dos termos de uma PA e, por fim, abordaremos a progressão geométrica (PG) e a soma dos termos de uma PG.

3.1 Conceito de sequência

Chamamos de sequência qualquer conjunto ou grupo no qual seus elementos estão apresentados em uma determinada ordem. As fases da lua, as notas musicais ou os meses do ano são exemplos de sequências, pois a ordem de cada elemento é predeterminada em cada um desses grupos.

Figura 3.1 — Exemplos de sequências

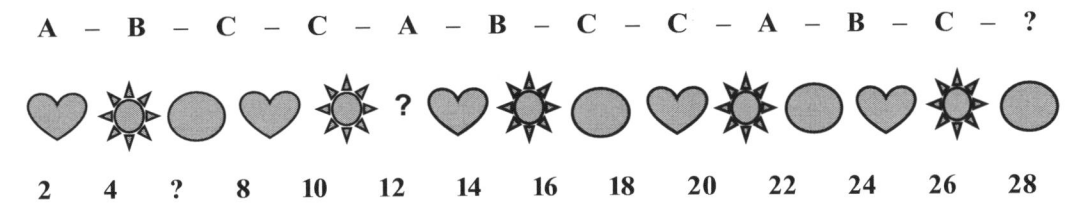

A – B – C – C – A – B – C – C – A – B – C – ?

♥ ☀ ⬤ ♥ ☀ ? ♥ ☀ ⬤ ♥ ☀ ⬤ ♥ ☀ ⬤

2   4   ?   8   10   12   14   16   18   20   22   24   26   28

Você consegue identificar os elementos que estão faltando nas sequências da Figura 3.1? Como podemos substituir os pontos de interrogação?

Para que possamos completá-las, precisamos identificar o padrão existente em cada uma delas. A primeira sequência representa um padrão de letras que se repetem, assim como ocorre no padrão de figuras da segunda sequência. A terceira sequência conta com elementos naturais distintos, sempre números pares. Desse modo, os elementos faltantes são, respectivamente, a letra C, a figura de um círculo e o número 6.

Em uma sequência, cada elemento é chamado de *termo*. É comum nomearmos esses termos com uma letra e um índice, que representa a posição do elemento na sequência. Desse modo, ao escolhermos a letra a e o índice 1, por exemplo, os quais formam a_1, fazemos referência ao primeiro termo da sequência, sendo a_2, o segundo termo, a_3 o terceiro termo e assim sucessivamente. Quando não sabemos a posição de um termo ou desejamos citar um elemento qualquer, podemos utilizar n para indicar a posição. Por isso, a_n é chamado de *n-ésimo termo de uma sequência*.

As sequências podem ser finitas ou infinitas. As sequências **finitas** possuem uma quantidade determinada de termos, que podem ser quaisquer itens ou números. Já nas sequências **infinitas**, que também podem envolver diversos itens ou números, não definimos o último termo.

Vamos ilustrar essa situação com as cores do arco-íris, que obedecem à ordem vermelho, laranja, amarelo, verde, azul, anil e violeta. Essa sequência é finita, sendo a_1 = vermelho, a_2 = laranja, a_3 = amarelo, a_4 = verde, a_5 = azul, a_6 = anil e a_7 = violeta.

Agora, veja esta sequência: (5, 12, 19, 24, ...). Por causa das reticências, podemos perceber que se trata de uma sequência infinita.

3.1.1 Conceito de sequência numérica

Sequência numérica é uma sequência ou sucessão que tem como contradomínio o conjunto dos números reais.

Ao representarmos uma sequência numérica, devemos colocar seus termos entre parênteses. Observe:

> Sequência de números pares positivos: (2, 4, 6, 8, 10, ...)
>
> Sequência de números naturais menores que 5: (0, 1, 2, 3, 4)

Perceba que a primeira sequência é infinita, e a segunda, finita.

3.1.2 Sequência de Fibonacci

Por volta de 1202, o matemático Leonardo de Pisa (1180-1250), também conhecido como Leonardo Fibonacci, publicou a obra *Liber Abacci*. Um dos problemas contemplados pela obra referia-se à reprodução de coelhos, indicada pelo autor na forma desta sequência: (1, 1, 2, 3, 5, 8, 13, 21, ...).

Mais tarde, outros matemáticos e cientistas perceberam que era possível identificar a **sequência de Fibonacci** na natureza: em plantas, conchas, flores e outros elementos.

Figura 3.2 – Leonardo Fibonacci

Figura 3.3 – Presença da sequência de Fibonacci na natureza

Portanto, a sequência de Fibonacci apresenta os números em uma ordem que segue um determinado padrão, ou seja, cada elemento presente nessa sequência, a partir do terceiro, é igual à soma dos dois elementos anteriores. Confira os sete primeiros termos:

$(1, 1, 2, 3, 5, 8, 13, \ldots)$ \hfill (sequência de Fibonacci)

Podemos verificar o seguinte:

$a_1 = 1$

$a_2 = 1$

$a_3 = a_2 + a_1 = 1 + 1 = 2$

$a_4 = a_3 + a_2 = 2 + 1 = 3$

$a_5 = a_4 + a_3 = 3 + 2 = 5$

$a_6 = a_5 + a_4 = 5 + 3 = 8$

$a_7 = a_6 + a_5 = 8 + 5 = 13$

Assim como essa sequência, outras sequências numéricas apresentam um padrão entre seus termos, que pode ser chamado de *lei de formação*. Para a sequência de Fibonacci, a lei de formação pode ser escrita da seguinte forma:

$$\begin{cases} a_1 = a_2 = 1 \\ a_n = a_{n-1} + a_{n-2}, \ n \geq 3 \end{cases}$$

3.1.3 Termo geral das sequências numéricas

Vamos pensar em um caso hipotético.

Imagine que você foi contratado por uma empresa que oferece um plano sequencial de salários por um ano. Após o 12º mês, o salário aumenta anualmente, conforme índices de reajuste estabelecidos pela legislação vigente. Observe seus primeiros salários, em reais:

Tabela 3.1 – Sequência de salários no primeiro ano de trabalho

1º mês	2º mês	3º mês	4º mês	5º mês
R$ 1 500,00	R$ 1 650,00	R$ 1 800,00	R$ 1 950,00	R$ 2 100,00

Qual será seu salário no 12º mês? Você consegue calcular? Consegue identificar um padrão na sequência salarial?

Percebemos que, a cada mês, o salário aumenta R$ 150,00. Assim, podemos somar R$ 150,00 a cada salário até chegarmos ao 12º mês ou outra maneira de obtermos o 12º salário é a partir de uma lei de formação, como a que apresentamos na sequência de Fibonacci. Veja como podemos escrever cada termo da sequência anterior:

$$a_1 = 1\,350 + 150 \cdot 1 = 1\,500$$
$$a_2 = 1\,350 + 150 \cdot 2 = 1\,650$$
$$a_3 = 1\,350 + 150 \cdot 3 = 1\,800$$
$$a_4 = 1\,350 + 150 \cdot 4 = 1\,950$$
$$a_n = 1\,350 + 150 \cdot n$$

Desse modo, o termo geral da sequência do nosso caso hipotético pode ser obtido por meio da lei:

> $a_n = 1\,350 + 150 \cdot n$
> Em que *n* é um número natural, tal que $1 \leq n \leq 12$.

Se substituirmos *n* por 12, teremos:

$$a_{12} = 1\,350 + 150 \cdot 12$$
$$a_{12} = 1\,350 + 1\,800 = 3\,150$$

As leis de formação das sequências auxiliam-nos a obter mais rapidamente um determinado termo. Contudo, é importante ressaltarmos que, para uma mesma sequência, podemos ter mais de uma lei. Por exemplo, a sequência salarial do caso hipotético também pode ser determinada por:

> $a_n = a_1 + (n-1) \cdot 150, n \in R / 1 \leq n \leq 12$

Exemplo 3.1

Escreva as sequências segundo a lei de formação. Considere $1 \leq n \leq 5$.

a) $a_n = 12 - 2n$
b) $a_n = (-1)^n \cdot n$
c) $a_n = -2n^2 + n$

Solução

a) $a_n = 12 - 2n$
$a_1 = 12 - 2 \cdot 1 = 12 - 2 = 10$
$a_2 = 12 - 2 \cdot 2 = 12 - 4 = 8$
$a_3 = 12 - 2 \cdot 3 = 12 - 6 = 6$
$a_4 = 12 - 2 \cdot 4 = 12 - 8 = 4$
$a_5 = 12 - 2 \cdot 5 = 12 - 10 = 2$
(10, 8, 6, 4, 2)

b) $a_n = (-1)^n \cdot n$
$a_1 = (-1)^1 \cdot 1 = -1 \cdot 1 = -1$
$a_2 = (-1)^2 \cdot 2 = 1 \cdot 2 = 2$
$a_3 = (-1)^3 \cdot 3 = -1 \cdot 3 = -3$
$a_4 = (-1)^4 \cdot 4 = 1 \cdot 4 = 4$
$a_5 = (-1)^5 \cdot 5 = -5$
(-1, 2, -3, 4, -5)

c) $a_n = -2n^2 + n$
$a_1 = -2 \cdot 1^2 + 1 = -2 \cdot 1 + 1 = -2 + 1 = -1$
$a_2 = -2 \cdot 2^2 + 2 = -2 \cdot 4 + 2 = -8 + 2 = -6$
$a_3 = -2 \cdot 3^2 + 3 = -2 \cdot 9 + 3 = -18 + 3 = -15$
$a_4 = -2 \cdot 4^2 + 4 = -2 \cdot 16 + 4 = -32 + 4 = -28$
$a_5 = -2 \cdot 5^2 + 5 = -2 \cdot 25 + 5 = -50 + 5 = -45$
(-1, -6, -15, -28, -45)

3.2 Progressão aritmética

Além da sequência de Fibonacci, existem outras sequências numéricas que têm características específicas, como a progressão aritmética (PA) e a progressão geométrica (PG).

Para estudarmos as PA, vamos imaginar a seguinte situação:

Um atleta elaborou um plano de corridas para melhorar seu desempenho físico. Ele estipulou determinados trajetos para cada dia de treino, aumentando diariamente o espaço percorrido, conforme mostra a Tabela 3.2 a seguir.

Tabela 3.2 – Plano de corrida

Dia	Distância percorrida
1	5 km
2	7 km
3	9 km
4	11 km

Seguiu assim sucessivamente até o 20º dia de treino.

Podemos representar esse exemplo na seguinte sequência: (5, 7, 9, 11, ...), e observar que existe um padrão: cada termo, a partir do segundo, é igual ao anterior somado a duas unidades.

Sequências como essas são chamadas de **progressões aritméticas** ou, simplesmente, **PA**. Em uma PA, cada termo é igual ao termo imediatamente anterior somado a um valor constante, denominado *razão* (r).

Em uma PA, a razão é obtida pela subtração entre dois termos consecutivos. Assim:

$$r = a_2 - a_1 = a_3 - a_2 = a_4 - a_3 = \ldots = a_{n+1} - a_n$$

Exemplo 3.2

Determine a razão de cada sequência.

    a) (1, 10, 19, ...)

    b) (12, 9, 6, ...)

    c) (10, −5, −20, ...)

    d) $\left(\dfrac{7}{3}, \dfrac{5}{3}, 1, \ldots\right)$

Solução

    a) (1, 10, 19, ...)

        $r = 10 - 1 = 19 - 10 = 9$

    b) (12, 9, 6, ...)

        $r = 9 - 12 = 6 - 9 = -3$

c) $(10, -5, -20, \ldots)$

$r = -5 - 10 = -20 - (-5) = -15$

d) $\left(\dfrac{7}{3}, \dfrac{5}{3}, 1, \ldots\right)$

$r = \dfrac{5}{3} - \dfrac{7}{3} = 1 - \dfrac{5}{3} = -\dfrac{2}{3}$

Exemplo 3.3

Defina o valor de x sabendo que a sequência é uma PA.

$(x - 1,\ 2x - 13,\ x + 11)$

■ Solução

Devemos lembrar que $r = a_2 - a_1 = a_3 - a_2$.

Desse modo, temos:

$2x - 13 - (x - 1) = x + 11 - (2x - 13)$

$2x - 13 - x + 1 = x + 11 - 2x + 13$

$x - 12 = -x + 24$

$2x = 36$

$x = 18$

3.2.1 Classificação de uma PA

De acordo com o comportamento dos seus termos, as PA são classificadas como crescentes, decrescentes ou constantes.

PA crescente

Vejamos esta sequência: $(3, 7, 11, 15, 19)$.

Para essa PA, temos:

$R = 7 - 3 = 11 - 7 = \ldots = 4$

Quando a razão de uma PA é positiva ($r > 0$), como no exemplo dado ($r = 4$), dizemos que a PA é crescente.

PA decrescente

Agora vamos observar esta sequência: $(3, 1, -1, -3, -5, -7, -9, \ldots)$.

Para essa PA, temos:

r = 1 − 3 = −1 − 1 = −2

Quando a razão de uma PA é negativa (r < 0), dizemos que a PA é decrescente.

PA constante

Por último, veja a sequência: (15, 15, 15, 15, ...).

Quando a razão de uma PA é igual a 0, temos uma PA constante.

3.2.2 Três termos consecutivos em uma PA

Uma particularidade importante em uma PA se refere a três termos consecutivos. Observe:

(5, 8, 11)

Percebemos que a razão dessa PA é 3. Ao observarmos o termo central, podemos escrevê-lo como *5 + 3* ou *11 − 3*. Desse modo, sempre que tratarmos de três termos consecutivos em uma PA, podemos representa-los por:

(x − r, x, x + r)

Exemplo 3.4

Determine os lados de um triângulo retângulo sabendo que a soma desses lados é 24 e que eles estão em progressão aritmética com razão positiva.

■ Solução

Com base nas informações do enunciado, percebemos que o maior lado desse triângulo equivale a $x + r$. Os outros lados equivalem a $x − r$ e x.

Como a soma dos lados é 24, temos:

$$x - r + x + x + r = 24$$
$$3x = 24$$
$$x = \frac{24}{3}$$
$$x = 8$$

Se aplicarmos o teorema de Pitágoras, teremos:

$$(x + r)^2 = (x - r)^2 + x^2$$
$$(8 + r)^2 = (8 - r)^2 + 8^2$$
$$64 + 16r + r^2 = 64 - 16r + r^2 + 64$$
$$32r = 64$$
$$r = 2$$

Com a razão, podemos determinar os lados do triângulo:

8 – 2, 8 e 8 + 2.

Assim, temos:

(6, 8, 10)

3.2.3 Termo geral de uma PA

Assim como em outras sequências, também é possível determinar um termo qualquer de uma PA a partir de uma lei de formação. Para que possamos compreender a fórmula que fornece o termo geral da PA, vamos analisar a situação seguinte.

Uma loja de brinquedos, ao perceber a proximidade do Natal, resolveu investir em brinquedos atrativos com preços diferenciados. A Tabela 3.3 a seguir mostra a quantidade de brinquedos vendidos nos primeiros dias do mês de dezembro.

Tabela 3.3 – Venda de brinquedos

Dia do mês	Quantidade de brinquedos vendida
1	60
2	68
3	76
4	84
5	92

Se a quantidade de brinquedos aumentou segundo o mesmo padrão dos primeiros cinco dias até o dia 23 de dezembro, podemos elaborar algumas questões:

- A cada dia, quantos brinquedos a mais a loja vendeu?
- Quantos brinquedos foram vendidos no dia 23 de dezembro?
- Quantos brinquedos foram vendidos pela loja desde o dia 1º de dezembro até o dia 23 de dezembro?

Primeiramente, vamos representar essas quantidades por meio de uma PA:
(60, 68, 76, 84, 92, ...).

Sabemos que a sequência é uma PA, pois cada termo, a partir do segundo, é igual ao anterior adicionado a uma constante. Essa constante, a razão da PA, equivale a 8, o que já responde à primeira pergunta, ou seja, a cada dia a loja vendeu 8 brinquedos a mais que no dia anterior.

Agora, vamos observar o seguinte:

$$a_1 = 60$$
$$a_2 = 60 + 1 \cdot 8 = 88$$
$$a_3 = 60 + 2 \cdot 8 = 76$$
$$a_4 = 60 + 3 \cdot 8 = 84$$
$$a_5 = 60 + 4 \cdot 8 = 92$$

Assim, para conhecermos a quantidade de brinquedos vendidos no dia 23 de dezembro, devemos determinar o 23º termo da PA. Se seguirmos o raciocínio anterior, teremos:

$$a_{23} = 60 + 22 \cdot 8 = 236$$

Verificamos, então, que foram vendidos 236 brinquedos no dia 23 de dezembro.

Antes de respondermos à terceira pergunta do exemplo dado, vamos considerar uma PA qualquer, denominando o primeiro termo de a_1, o segundo termo de a_2 e o n-ésimo termo de a_n, com n ∈ ℕ. Se tomarmos r como razão da PA, a partir do segundo termo, teremos:

$$a_2 = a_1 + r$$
$$a_3 = a_2 + r$$
$$a_4 = a_3 + r$$
$$a_5 = a_4 + r$$
$$\ldots$$
$$a_n = a_{n-1} + r$$

Perceba que, para encontrarmos o valor de a_3 na sequência, somamos a_2 com a razão r. Para conhecermos a_4, somamos a_3 com a razão, e assim sucessivamente. Contudo, já sabemos que $a_2 = a_1 + r$ e $a_3 = a_2 + r$, logo, para os demais termos, utilizamos a mesma característica. Se, para encontrar o a_3, substituirmos a_2 pelo que já tínhamos encontrado anteriormente e fizermos o mesmo processo para os demais termos, teremos:

$$a_2 = (a_1 + r)$$
$$a_3 = a_2 + r = (a_1 + r) + r = a_1 + 2r$$
$$a_4 = a_3 + r = (a_1 + 2r) + r = a_1 + 3r$$
$$a_5 = a_4 + r = (a_1 + 3r) + r = a_1 + 4r$$

$$a_n = a_1 + (n-1) \cdot r$$

O que encontramos é denominado *fórmula do termo geral de uma PA*.

Exemplo 3.5
Determine o 23º termo da PA (5, 8, 11, ...).

Solução

$r = 8 - 5 = 11 - 8 = 3 \qquad a_1 = 5 \qquad n = 23$
$a_n = a_1 + (n - 1) \cdot r$
$a_{23} = 5 + (23 - 1) \cdot 3$
$a_{23} = 5 + 22 \cdot 3$
$a_{23} = 5 + 66$
$a_{23} = 71$

Exemplo 3.6
Defina o 17º termo da PA (9, 5, 1, ...).

Solução

$r = 5 - 9 = 1 - 5 = -4 \qquad a_1 = 9 \qquad n = 17$
$a_n = a_1 + (n - 1) \cdot r$
$a_{17} = 9 + (17 - 1) \cdot (-4)$
$a_{17} = 9 + 16 \cdot (-4)$
$a_{17} = 9 - 64$
$a_{17} = -55$

Exemplo 3.7
Qual o 55º número natural ímpar?

Solução

$(1, 3, 5, 7, ...)$
$r = 2 \qquad a_1 = 1 \qquad n = 55$
$a_n = a_1 + (n - 1) \cdot r$
$a_{55} = 1 + (55 - 1) \cdot 2$
$a_{55} = 1 + 54 \cdot 2$
$a_{55} = 1 + 108$
$a_{55} = 109$

Exemplo 3.8

Qual o primeiro termo de uma PA de razão igual a 4, sabendo que seu vigésimo termo é 88?

Solução

$r = 4 \qquad a_{20} = 88 \qquad n = 20$

$a_n = a_1 + (n-1) \cdot r$

$88 = a_1 + (20 - 1) \cdot 4$

$88 = a_1 + 19 \cdot 4$

$88 = a_1 + 76$

$a_1 = 88 - 76$

$a_1 = 12$

Exemplo 3.9

Quantos termos tem uma PA finita de razão 4, sabendo que o primeiro termo é –7 e o último é 89?

Solução

$r = 4 \qquad a_1 = -7 \qquad a_n = 89$

$a_n = a_1 + (n-1) \cdot r$

$89 = -7 + (n-1) \cdot 4$

$89 + 7 = (n-1) \cdot 4$

$96 = (n-1) \cdot 4$

$\dfrac{96}{4} = n - 1$

$24 = n - 1$

$n = 24 + 1$

$n = 25$

Ainda falta respondermos à terceira pergunta do nosso exemplo da loja de brinquedos: Quantos brinquedos foram vendidos pela loja desde o dia 1º de dezembro até o dia 23 de dezembro? Para conhecermos esse número, precisamos saber como fazer a soma dos termos de uma PA. E é isso que veremos no próximo tópico.

3.2.4 Soma de termos de uma PA

Em algumas sequências, somar todos os termos pode ser um trabalho árduo. Por isso, vamos conhecer uma fórmula que nos auxilia nesse processo.

Conta a lenda que, aos 10 anos de idade, o matemático alemão Carl Friedrich Gauss (1777–1855) percebeu a possibilidade de encontrar a soma de termos de uma sequência de números naturais de 1 a 100.

Figura 3.4 – Carl Friedrich Gauss

Gauss identificou que, somando os termos equidistantes, o resultado seria sempre o mesmo, ou seja:

1 + 100 = 101
2 + 99 = 101
3 + 98 = 101
4 + 97 = 101
5 + 96 = 101
50 + 51 = 101

Depois, o matemático percebeu que, para calcular a soma de todos os números da sequência (1, 2, 3, 4, 5, 6, 7, 8, 9, 20, ..., 100), era preciso multiplicar a soma que foi encontrada a cada dois pares de números equidistantes por 50, pois foram 50 operações que resultaram em 101. Com isso, chegamos a:

101 · 50 = 5 050

Que é o mesmo que:

1 + 2 + 3 + 4 + 5 + 6 + 7 + ... + 100 = 5 050

Tal descoberta nos direciona ao processo que devemos seguir para calcular a soma de todos os termos de uma PA. Basta fazermos uma soma entre os termos equidistantes e multiplicar o resultado pela metade do número total de termos presentes na PA. Em relação a uma PA cuja razão é 1 e o total de termos é 100, temos:

PA = (1, 2, 3, 4, ..., 100)

Soma da PA = $(1 + 100) \cdot \dfrac{100}{2}$

Genericamente, seja a PA (a_1, a_2, a_3, a_4, a_5, ... a_n), a soma S_n dessa PA é escrita da seguinte maneira:

$$S_n = (a_1 + a_n) \cdot \frac{n}{2}$$

Podemos reescrever essa fórmula deste modo:

$$S_n = \frac{(a_1 + a_n) \cdot n}{2}$$

Devemos lembrar que a_1 é sempre o primeiro termo da PA, a_n é o último termo da PA e n é o número total de termos da PA.

Retomemos, agora, o exemplo da loja de brinquedos: Quantos brinquedos foram vendidos no total de 1º de dezembro até 23 de dezembro?

Para responder a essa última pergunta do nosso caso, devemos obter a soma de todos os termos da PA (60, 68, 76, 84, 92, ..., 236). Observe:

$a_1 = 60 \qquad a_n = a_{23} = 236 \qquad n = 23$

$$S_n = \frac{(a_1 + a_n) \cdot n}{2}$$

$$S_{23} = \frac{(60 + 236) \cdot 23}{2}$$

$$S_{23} = \frac{(296) \cdot 23}{2}$$

$$S_{23} = 3\,404$$

Exemplo 3.10

Calcule a soma dos 50 primeiros termos da PA (2, 6, ...).

Solução

$a_1 = 2 \qquad r = 4 \qquad n = 50$

$a_{50} = 2 + 49 \cdot 4 = 198$

$$S_n = \frac{(a_1 + a_n) \cdot n}{2}$$

$$S_{50} = \frac{(2 + 198) \cdot 50}{2}$$

$$S_{50} = \frac{200 \cdot 50}{2} = 5000$$

Exemplo 3.11

Encontre a soma dos 40 primeiros termos da PA (8, 2, ...).

Solução

$a_1 = 8 \qquad r = -6 \qquad n = 40$

$a_{40} = 8 + 39 \cdot (-6) = 8 - 234 = -226$

$S_n = \dfrac{(a_1 + a_n) \cdot n}{2}$

$S_{40} = \dfrac{(8 + (-226)) \cdot 40}{2}$

$S_{40} = \dfrac{-218 \cdot 40}{2} = -4\,360$

Exemplo 3.12

Em uma PA, $a_3 = 17$ e $a_{13} = 87$. Calcule a soma dos 19 primeiros termos dessa PA.

Solução

Temos as seguintes informações:

$a_3 = 17$

$a_{13} = 87$

Desse modo, podemos construir a sequência:

__, __, 17, __, __, __, __, __, __, __, __, __, 87, __, __, __, __

Podemos resolver essa questão se admitirmos, em um primeiro momento, que o primeiro termo da PA é 17. Ao fazermos isso, o termo 87 passa a ser o 11º termo da sequência.

17, __, __, __, __, __, __, __, __, __, 87

Podemos usar apenas esse fragmento da sequência e aplicar a fórmula do termo geral para determinar a razão dessa PA.

$a_1 = 17 \qquad a_{11} = 87 \qquad n = 87$

$a_n = a_1 + (n - 1) \cdot r$
$87 = 17 + 10 \cdot r$
$87 - 17 = 10 \cdot r$
$70 = 10 \cdot r$
$r = \dfrac{70}{10} = 7$

Como já conhecemos a razão, vamos voltar à sequência original para determinar os primeiros termos legítimos da PA.

17, __, __, __, __, __, __, __, __, __, 87

__, __, 17, __, __, __, __, __, __, __, __, 87, __, __, __, __

3, 10, 17, __, __, __, __, __, __, __, __, __, 87, __, __, __, __

Para chegarmos à soma desejada, utilizamos a fórmula da soma de termos de uma PA. No entanto, antes precisamos definir o termo a_{12}:

$a_1 = 3$
$r = 7$
$n = 19$
$a_n = a_1 + (n - 1) \cdot r$
$a_{19} = 3 + 18 \cdot 7 = 3 + 126 = 129$

Agora sim podemos fazer a soma dos 19 primeiros termos:

$$S_n = \frac{(a_1 + a_n) \cdot n}{2}$$

$$S_{19} = \frac{(3 + 129) \cdot 19}{2}$$

$$S_{19} = \frac{132 \cdot 19}{2} = 1\,254$$

3.3 Progressão geométrica

Existe uma lenda sobre a origem do jogo de xadrez que atribui a um sábio brâmane sua invenção. Relata-se que Sessa, o sábio, criou o jogo para animar um rei hindu, muito triste após a morte de seu filho. O rei teria ficado tão satisfeito que deu ao brâmane a oportunidade de escolher a recompensa que desejasse. O sábio, então, disse que desejava grãos de trigo em uma quantidade tal segundo a disposição no tabuleiro da seguinte maneira:

- um grão na primeira casa do tabuleiro;
- dois grãos na segunda casa;
- quatro grãos na terceira casa;
- e assim sucessivamente até a 64ª casa.

A soma da quantidade de grãos de trigo de todas as casas do tabuleiro seria a recompensa desejada pelo sábio.

Desse modo, a quantidade de grãos de trigo pode ser representada pela soma da seguinte sequência:

(1, 2, 4, 8, 16, 32, 64, 128, ...)

A sequência para a qual cada termo é igual ao termo imediatamente anterior multiplicado por um valor constante é denominada de ***progressão geométrica*** (***PG***). A constante é a razão da PG, representada pela letra q.

Para determinarmos a razão de uma PG, devemos lembrar que:

$$q = \frac{a_2}{a_1} = \frac{a_3}{a_2} = \frac{a_4}{a_3} = \ldots$$

Exemplo 3.13
Determine a razão de cada PG a seguir.

a) (1, 5, 25, 125, ...)
b) (8, 4, 2, 1, ...)
c) (5, −15, 45, ...)
d) (8, 8, 8, 8, ...)

Solução

a) (1, 5, 25, 125, ...)

$$q = \frac{a_2}{a_1} = \frac{a_3}{a_2} = \ldots = \frac{5}{1} = \frac{25}{5} = 5$$

b) (8, 4, 2, 1, ...)

$$q = \frac{a_2}{a_1} = \frac{a_3}{a_2} = \ldots = \frac{4}{8} = \frac{1}{2}$$

c) (5, −15, 45, ...)

$$q = \frac{a_2}{a_1} = \frac{a_3}{a_2} = \ldots = \frac{-15}{5} = \frac{45}{-15} = -3$$

d) (8, 8, 8, 8, ...)

$$q = \frac{a_2}{a_1} = \frac{a_3}{a_2} = \ldots = \frac{8}{8} = 1$$

3.3.1 Classificação de uma PG

É possível que uma PG seja crescente, decrescente, constante ou alternada. Para sabermos a classificação, precisamos verificar alguns requisitos. Vamos lá?

PG crescente

Se $a_1 > 0$ e $q > 1$, a PG é crescente, como acontece em: $(2, 20, 200, \ldots)$, em que $a_1 = 2$ e $q = 10$.

A PG ainda é crescente se $a_1 < 0$ e $0 < q < 1$, por exemplo: $\left(-3, -\dfrac{3}{2}, -\dfrac{3}{4}, \ldots\right)$, em que $a_1 = -3$ e $q = \dfrac{1}{2}$.

PG decrescente

Se $a_1 > 0$ e $0 < q < 1$, a PG é decrescente, a exemplo do que ocorre em: $(25, 5, 1, \ldots)$, em que $a_1 = 25$ e $q = \dfrac{1}{5}$.

Outra condição para a PG decrescente é $a_1 < 0$ e $q > 1$, por exemplo: $(-10, -80, -640, \ldots)$, em que $a_1 = -10$ e $q = 8$.

PG constante

Se $q = 1$, a PG é constante, como acontece na sequência $(122, 122, 122, 122, \ldots)$, em que $a_1 = 122$ e $q = 1$.

PG alternada

Se $q < 0$, a PG é alternada, por exemplo: $\left(9, -\dfrac{9}{4}, \dfrac{9}{16}, \ldots\right)$, em que $a_1 = 9$ e $q = -\dfrac{1}{4}$.

3.3.2 Termo geral de uma PG

Para compreendermos a fórmula do termo geral de uma PG, vamos considerar o seguinte exemplo:

$$(3, 9, 27, 81, 243, \ldots)$$

Para essa PG, temos:

$a_1 = 3 \qquad q = \dfrac{9}{3} = \dfrac{27}{9} = \dfrac{81}{27} = \ldots = 3$

$a_2 = a_1 \cdot 3 = 3 \cdot 3 = 9$
$a_3 = a_2 \cdot 3 = 9 \cdot 3 = 27$
$a_4 = a_3 \cdot 3 = 27 \cdot 3 = 81$
$a_5 = a_4 \cdot 3 = 81 \cdot 3 = 243$

Observe que:

$$a_2 = a_1 \cdot q$$
$$a_3 = a_2 \cdot q$$
$$a_4 = a_3 \cdot q$$
$$a_n = a_{n-1} \cdot q$$

Com essas informações, é possível percebermos que, para calcular a_3, podemos substituir a_2 pelos valores que já foram encontrados inicialmente. Assim, como $a_2 = a_1 \cdot q$, temos $a_3 = (a_1 \cdot q) \cdot q$, logo, $a_3 = a_1 \cdot q^2$.

Vamos continuar a verificar essas relações para cada termo de uma PG até seu n-ésimo termo:

$$a_2 = a_1 \cdot q$$
$$a_3 = (a_2) \cdot q = (a_1 \cdot q) \cdot q = a_1 \cdot q^2$$
$$a_4 = (a_3) \cdot q = (a_1 \cdot q^2) \cdot q = a_1 \cdot q^3$$
$$a_5 = (a_4) \cdot q = (a_1 \cdot q^3) \cdot q = a_1 \cdot q^4$$

$$a_n = a_1 \cdot q^{n-1}$$

A fórmula que encontramos é denominada ***termo geral de uma PG***. Com ela, podemos calcular qualquer termo de uma PG.

No caso da lenda do xadrez, podemos descobrir quantos grãos de trigo corresponderiam à 64ª casa do tabuleiro.

(1, 2, 4, 8, 16, 32, ...)

$$a_1 = 1 \qquad q = \frac{2}{1} = \frac{4}{2} = \ldots = 2 \qquad n = 64$$

$$a_n = a_1 \cdot q^{n-1}$$

$$a_{64} = 1 \cdot 2^{63} = 2^{63}$$

Se utilizarmos uma calculadora, descobriremos que esse número corresponde a 9 223 372 036 854 775 808 grãos. Mesmo que o rei reunisse todos os grãos de trigo do reino, não conseguiria pagar o sábio, já que esse valor corresponde apenas à quantidade de grãos na última casa do tabuleiro, e o sábio pediu a quantidade referente à soma de todas as casas.

Exemplo 3.14

Encontre o 7º termo da PG (5, 15, 45, ...).

Solução

$a_1 = 5 \qquad q = \dfrac{15}{5} = 3 \qquad n = 7$

$a_n = a_1 \cdot q^{n-1}$

$a_7 = 5 \cdot 3^{7-1}$

$a_7 = 5 \cdot 3^6$

Exemplo 3.15

Qual o primeiro termo de uma PG em que $a_3 = -25$ e $a_7 = -15\,625$ e a razão é negativa?

Solução

A sequência indicada pelo enunciado seria esta:

(__, __, –25, __, __, __, –15 625)

Para encontrarmos a razão, podemos montar a sequência supondo que a_3 seja o primeiro termo:

(–25, __, __, __, –15 625)

Ao considerarmos –25 como primeiro termo, –15 625 será o quinto termo. Assim, temos:

$a_n = a_1 \cdot q^{n-1}$

$-15\,625 = -25 \cdot q^{5-1}$

$-\dfrac{15\,625}{-25} = q^4 \Rightarrow 625 = q^4 \Rightarrow q = \pm\sqrt[4]{625} \Rightarrow q = \pm 5$

Como o enunciado afirma que a razão é negativa, devemos considerar $q = -5$.

Agora, podemos determinar o valor do primeiro termo legítimo, dessa vez considerando $a_3 = -25$.

$a_3 = -25 \qquad n = 3 \qquad q = -5$

$a_n = a_1 \cdot q^{n-1}$

$-25 = a_1 \cdot (-5)^{3-1} \qquad\qquad a_1 = -\dfrac{25}{25}$

$-25 = a_1 \cdot (-5)^2 \qquad\qquad a_1 = -1$

$-25 = a_1 \cdot 25$

3.3.3 Soma de termos de uma PG finita

É possível calcularmos a soma de todos os termos de uma PG finita ou a soma dos *n* primeiros termos de uma PG infinita. Para isso, a fórmula utilizada é:

$$S_n = \frac{a_1(q^n - 1)}{q - 1}$$

Em que:
S_n é o resultado da soma dos *n* primeiros termos de uma PG infinita ou o resultado da soma de todos os termos de uma PG finita;
n é a quantidade de termos;
a_1 é o primeiro termo da PG;
q é a razão da PG.

Vamos voltar ao exemplo da lenda do xadrez e calcular a quantidade de grãos de trigo efetuando a soma de todos os 64 termos da PG:

(1, 2, 4, 8, 16, ...)

$a_1 = 1 \quad q = 2 \quad n = 64$

$$S_n = \frac{a_1(q^n - 1)}{q - 1}$$

$$S_n = \frac{1(2^{64} - 1)}{2 - 1}$$

$$S_n = 2^{64} - 1$$

Mais uma vez, recorremos à calculadora para descobrirmos a quantidade: 18 446 744 073 709 551 615 grãos. São mais de dezoito quintilhões de grãos de trigo que o rei ficou devendo ao sábio.

Exemplo 3.16

Calcule a soma dos 5 primeiros termos da PG (–10, 30, –90, …).

■ Solução

$$a_1 = -10 \quad q = \frac{30}{-10} = -3 \quad n = 5$$

$$S_n = \frac{a_1(q^n - 1)}{q - 1}$$

$$S_5 = \frac{-10 \cdot ((-3)^5 - 1)}{-3 - 1}$$

$$S_5 = \frac{-10 \cdot (-243 - 1)}{-4}$$

$$S_5 = \frac{-10 \cdot (-244)}{-4}$$

$$S_5 = \frac{2440}{-4}$$

$$S_5 = -610$$

Exemplo 3.17

Em uma fábrica, há 7 pilhas de caixas. Na primeira pilha, há 3 caixas; na segunda, 6 caixas; na terceira, 12 caixas e assim sucessivamente. Se todas as caixas da fábrica estão nas pilhas, quantas caixas há na fábrica?

■ Solução

Podemos resolver esse problema por meio de uma PG:

(3, 6, 12, ...)

$$a_1 = 3 \quad q = \frac{6}{3} = 2 \quad n = 7$$

Como desejamos descobrir o total de caixas, calculamos a soma dos 7 termos da PG:

$$S_n = \frac{a_1(q^n - 1)}{q - 1}$$

$$S_9 = \frac{3 \cdot (2^7 - 1)}{2 - 1}$$

$$S_9 = \frac{3 \cdot (128 - 1)}{1}$$

$$S_9 = 3127$$

$$S_9 = 381$$

3.3.4 Soma de termos de uma PG infinita

Vamos usar outro caso hipotético para tratarmos da soma dos termos de uma PG infinita.

Uma artesã está criando uma caixa decorada com fitas de tecido enroladas na tampa. Ela enrola 1 m de fita no primeiro momento e, para dar um efeito diferenciado, coloca 50 cm de fitas, depois 25 cm e assim por diante.

Suponha que exista uma tesoura capaz de cortar infinitamente o rolo de fitas. Quantos metros a artesã precisaria comprar para decorar a caixa?

Podemos representar a situação por meio de uma PG:

$$\left(1, \frac{1}{2}, \frac{1}{4}, \ldots\right)$$

Caso conseguíssemos calcular a soma dos termos dessa sequência, saberíamos quantos metros de fita a artesã deveria comprar, porém os dados que temos são os seguintes:

$$a_1 = 1 \quad q = \frac{1}{2} \quad n = ?$$

Então, vamos imaginar alguns valores para n e analisar os resultados.

Para n = 10

$$S_n = \frac{a_1(q^n - 1)}{q - 1}$$

$$S_n = \frac{1 \cdot \left(\left(\frac{1}{2}\right)^{10} - 1\right)}{\frac{1}{2} - 1}$$

$$S_n = \frac{\left(\frac{1}{1\,024} - 1\right)}{-\frac{1}{2}} = -\frac{0{,}9990234375}{\frac{1}{2}} = -1{,}998046875$$

Para n = 100

$$S_n = \frac{1 \cdot \left(\left(\frac{1}{2}\right)^{100} - 1\right)}{\frac{1}{2} - 1} = 1{,}999999999999999 \,.$$

Quanto mais aumentarmos o valor de *n*, mais próxima de 0 será q^n. Assim, podemos considerar que a artesã gastará 2 m de fita.

Se considerarmos uma PG com a razão entre –1 e 1, ou seja, $-1 < q < 1$, a fórmula para a soma dos termos é alterada. Para $-1 < q < 1$, à medida que o número de termos *n* aumenta indefinidamente, a expressão q^n tende a 0. Dessa forma, ao substituirmos q^n por 0, teremos:

$$S_n = \frac{a_1(0-1)}{q-1} = \frac{-a_1}{q-1} = \frac{a_1}{1-q}$$

Assim, temos a fórmula da PG infinita:

$$S_\infty = \frac{a_1}{1-q}$$

Exemplo 3.18

Calcule a soma dos termos da PG $\left(1, \frac{1}{3}, \frac{1}{9}, \frac{1}{27}, \ldots\right)$

Solução

$$S_\infty = \frac{1}{1-\frac{1}{3}} = \frac{1}{\frac{2}{3}} = 1 \cdot \frac{3}{2} = \frac{3}{2}$$

SÍNTESE

Neste capítulo, estudamos as sequências numéricas.

Vimos a importância de observar o padrão de cada uma delas. Quando as sequências apresentam a soma de uma constante (*r*) para todos os seus termos, podem ser chamadas de *progressões aritméticas*. As progressões geométricas, por outro lado, são aquelas em que cada termo corresponde ao anterior multiplicado por uma razão, chamada de *q*.

ATIVIDADES DE AUTOAVALIAÇÃO

1) Um anfiteatro tem 12 fileiras de cadeiras. Na 1ª fileira, há 10 lugares; na 2ª, há 12; na 3ª, existem 14 e assim por diante. O número total de cadeiras do anfiteatro é:

   a. 250.
   b. 252.

c. 254.
d. 256.
e. 258.

2) A sequência (5, 13, 25, 41, a, 85) obedece a um determinado padrão. O termo *a* dessa sequência é:

a. 45.
b. 56.
c. 61.
d. 68.
e. 70.

3) Um jogo é composto por 100 cartas. As cartas devem ser agrupadas da seguinte maneira: formam-se 6 filas de cartas, uma fila com 2 cartas, uma fila com 5 cartas, uma fila com 8 cartas e assim sucessivamente até a 6ª fila. Quando se termina de agrupar a 6ª fila, as cartas que restaram são divididas entre os jogadores. Quantas cartas são divididas entre os jogadores?

a. 85.
b. 75.
c. 72.
d. 57.
e. 43.

4) João está juntando moedas. No primeiro dia, juntou 5 moedas; no segundo, 10 moedas; no terceiro, 20 moedas e assim por diante, sempre juntando o dobro de moedas do dia anterior. Quantas moedas João juntou no quinto dia?

a. 80.
b. 100.
c. 800.
d. 1 000.
e. 80 000.

5) Qual o 5º termo da sequência (1, 10, 100, ...)?

a. 1 100.
b. 100.
c. 3 000.
d. 1 000.
e. 10 000.

6) A soma dos termos da PG $\left(1, \frac{1}{2}, \frac{1}{4}, \frac{1}{8}, \ldots\right)$ é:
   a. 2.
   b. 0.
   c. 1,75.
   d. 3.
   e. 5.

7) O primeiro termo de uma progressão geométrica em que $a_3 = 1$ e $a_5 = 9$ é:
   a. $\frac{1}{27}$.
   b. $\frac{1}{9}$.
   c. $\frac{1}{3}$.
   d. 1.
   e. 0.

8) Se a razão de uma PG é maior que 1 e o primeiro termo é negativo, a PG é chamada:
   a. *decrescente.*
   b. *crescente.*
   c. *constante.*
   d. *alternante.*
   e. *não crescente.*

9) Uma turma se reuniu para arrecadar dinheiro para um lar de crianças. No primeiro dia, conseguiram R$ 10,00; no segundo dia, R$ 20,00; no quarto dia, R$ 40,00 e assim sucessivamente em 7 dias de campanha. Qual foi o total arrecadado?
   a. R$ 640,00.
   b. R$ 650,00.
   c. R$ 1 270,00.
   d. R$ 1 380,00.
   e. R$ 1 640,00.

10) A lei de formação de uma sequência é dada por $a_n = 5n + 1$, em que *n* corresponde à posição do termo desejado. A sequência referida é:

   a. (0, 5, 10, 15, ...).
   b. (5, 6, 7, 8, ...).
   c. (6, 10, 14, 19, ...).
   d. (6, 11, 16, 21, ...).
   e. (1, 6, 11, 16, ...).

Atividades de aprendizagem

1) Qual o 15º termo da PA (2, 5, 8, ...)?

2) Determine o 41º termo da PA (4, –1, –6,...).

3) Em um auditório, a primeira fila tem 17 assentos; a segunda, 21; a terceira, 25 e assim sucessivamente. Quantos assentos tem a 24ª fila?

4) Três números estão em PA, de modo que a soma entre eles é 18 e o produto é 66. Calcule os três números.

5) Qual deve ser o valor de *x* para que a sequência (x – 3, x + 1, 2x) seja uma PA?

6) A cada dia que passa, um aluno resolve 2 exercícios a mais do que resolveu no dia anterior. Ele completou seu 11º dia de estudo e resolveu, nesse último dia, 22 exercícios. Quantos exercícios ele havia resolvido no primeiro dia?

7) Para fazer um painel com estrelinhas, um funcionário deseja saber quantas estrelinhas terá que recortar no total. O painel terá uma estrelinha na primeira fila, duas na segunda, três na terceira e assim por diante. O painel terá 150 filas de estrelas. Quantas estrelas o funcionário terá que recortar para preencher o painel?

8) Em uma determinada estrada, existem dois radares instalados no acostamento: um no quilômetro 30 e outro no quilômetro 480. Entre eles, serão colocados mais 8 radares, mantendo-se sempre a mesma distância uns dos outros. Qual será a distância entre o radar já instalado no quilômetro 30 e o primeiro dos novos radares?

9) Encontre o 10º termo da progressão geométrica (2, 4, 8, ...).

10) Calcule o 1º termo de uma PG sabendo que $a_9 = 1\,280$ e $q = 2$.

11) Calcule a soma dos 5 primeiros termos da PG (1, 3, ...).

Flavia Sucheck Mateus da Rocha
Taniele Loss

4

Trigonometria no ciclo trigonométrico

Neste capítulo, estudaremos a trigonometria no ciclo trigonométrico. Trataremos inicialmente dos ângulos e dos arcos na circunferência, da construção do sistema trigonométrico e das suas simetrias. Posteriormente, estudaremos as razões trigonométricas na circunferência e as equações que envolvem trigonometria.

Veremos também as funções trigonométricas e a análise de gráficos dessas funções. Por fim, abordaremos as relações e as transformações trigonométricas.

4.1. Arcos e ângulos

Para estudarmos a trigonometria no ciclo trigonométrico, primeiramente precisamos entender como ocorrem as medições na circunferência.

Chamamos de *arco* o conjunto de pontos compreendidos entre dois extremos quaisquer da circunferência. Quando marcamos dois pontos A e B em uma circunferência, acabamos por construir dois arcos nessa circunferência. Observe, na Figura 4.1 a seguir, dois arcos de tamanhos diferentes.

Figura 4.1 – Arcos na circunferência

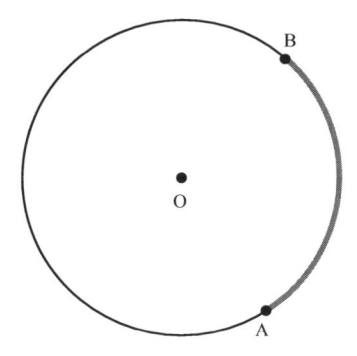

Esse arco pode ser medido em graus, unidade de medida bastante utilizada na geometria. Para isso, devemos lembrar que o **ângulo central** (que possui o vértice no centro da circunferência) tem a mesma medida que o arco correspondente.

Figura 4.2 – Ângulo central

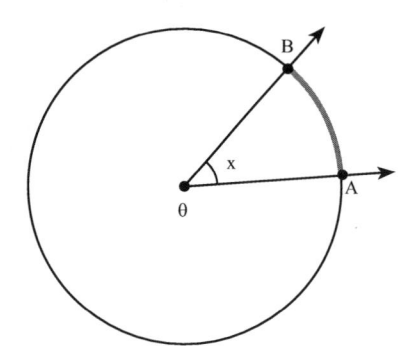

Figura 4.3 – Medida de 1° na circunferência

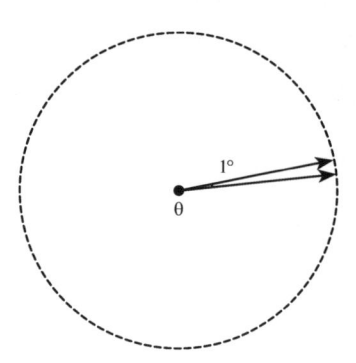

Na Figura 4.2, a medida do ângulo x é idêntica à medida do arco $\overset{\frown}{AB}$. Também podemos perceber que 1° corresponde à medida de um arco equivalente à $\dfrac{1}{360}$ de uma circunferência, como mostra a Figura 4.3.

Alguns problemas clássicos sobre ângulos nas circunferências envolvem relógios. Para determinarmos a medida do ângulo entre os ponteiros de um relógio, devemos lembrar que, conforme o ponteiro dos minutos se movimenta, ocorre o movimento do ponteiro das horas. O arco entre dois números que representam as horas, em um relógio, equivale a 30°, já que corresponde a 360° dividido em 12 partes. Assim, a cada cinco minutos, temos 30°.

Exemplo 4.1

Determine o menor ângulo entre os ponteiros (horas e minutos) de um relógio às 13h50.

Relógio marcando 13h50

■ Solução

Se observarmos o relógio da imagem anterior, saberemos que, entre os números 10 e 11, 11 e 12 e 12 e 1, há 30° em cada espaço. Precisamos descobrir a medida do ângulo entre o número 1 e o ponteiro das horas. Logo, para que o ponteiro das horas percorra 30°, devem se passar 60 minutos. Estabelecemos, assim, uma relação de proporcionalidade:

30° ——————— 60 min
x ——————— 50 min
60x = 1 500
x = 25°

Concluímos que o menor ângulo entre os ponteiros das horas e dos minutos é 30° + 30° + 30° + 25° = 115°.

4.1.1 Medida de ângulos em radianos

Na trigonometria que iremos estudar neste capítulo, usaremos também a medida em radiano para os ângulos. O radiano (rad) é um arco de comprimento igual ao comprimento do raio da circunferência que possui tal arco.

Figura 4.4 – Arco em radianos

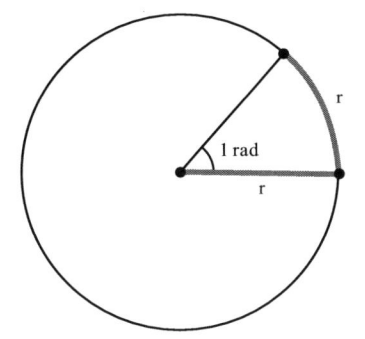

Devemos lembrar que o comprimento de uma circunferência é $2\pi r$, assim, um arco que equivale a toda a circunferência tem $2\pi r$ rad. Em graus, essa medida é 360°. Desse modo, podemos estabelecer uma relação entre radiano e graus:

$2\pi r$ rad = 360°
πr rad = 180°

Exemplo 4.2

Transforme em graus as medidas a seguir, que estão em radianos.

a) $\dfrac{3\pi}{4}$ rad

b) $\dfrac{\pi}{2}$ rad

c) $\dfrac{2\pi}{3}$ rad

Solução

Nos três casos, basta substituirmos π por 180°. Desse modo, temos:

a) $\dfrac{3\pi}{4}$ rad : $\dfrac{3 \cdot 180}{4} = 135°$

b) $\dfrac{\pi}{2}$ rad : $\dfrac{180}{2} = 90°$

c) $\dfrac{2\pi}{3}$ rad : $\dfrac{2 \cdot 180}{3} = 120°$

Exemplo 4.3

Converta em radianos as medidas a seguir, que estão em graus.

a) 45°
b) 270°
c) 150°

Solução

Nesse caso, devemos usar a proporcionalidade, lembrando que $\pi = 180°$.

$$\pi \longrightarrow 180° \qquad \pi \longrightarrow 180° \qquad \pi \longrightarrow 180°$$
$$x_1 \longrightarrow 45° \qquad x_2 \longrightarrow 270° \qquad x_3 \longrightarrow 150°$$

Ao desenvolvermos a resolução, temos:

a) $45° : 180 \cdot x_1 = 45\pi \qquad x_1 = \dfrac{45\pi}{180} = \dfrac{\pi}{4}$ rad

b) $270° : 180 \cdot x_2 = 270\pi \qquad x_2 = \dfrac{270\pi}{180} = \dfrac{3\pi}{2}$ rad

c) $150° : 180 \cdot x_3 = 150\pi \qquad x_3 = \dfrac{150\pi}{180} = \dfrac{5\pi}{6}$ rad

Não convém usarmos números decimais para representar arcos em radianos, por isso fazemos a simplificação de fração. Assim, $45° = \frac{\pi}{4}$ rad (a); $270° = \frac{3\pi}{2}$ rad (b) e $150° = \frac{5\pi}{6}$ rad (c).

4.2 Ciclo trigonométrico

O ciclo trigonométrico, também chamado de *sistema trigonométrico*, é construído no plano cartesiano, com o ponto (0, 0) como centro da circunferência. O raio dessa circunferência é de uma unidade. Tomamos tal circunferência e atribuímos um sinal positivo aos arcos percorridos no sentido anti-horário e um sinal negativo aos arcos percorridos no sentido horário. Como origem dos arcos, consideramos o ponto A (1, 0).

Figura 4.5 – Circunferência de raio unitário

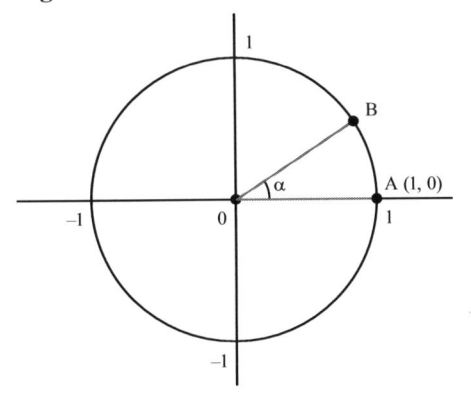

O ciclo trigonométrico é dividido em 4 quadrantes, e os ângulos na circunferência podem ser medidos em graus ou radianos, como já vimos.

Figura 4.6 – Ciclo trigonométrico dividido em quadrantes

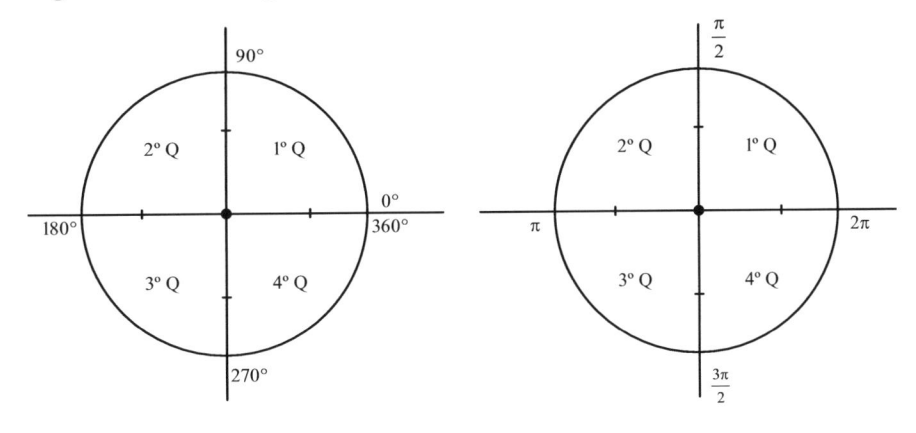

Para medidas de ângulos no sentido horário, temos valores negativos, como citamos anteriormente. Observe a Figura 4.7 a seguir.

Figura 4.7 – Ângulos no sentido horário

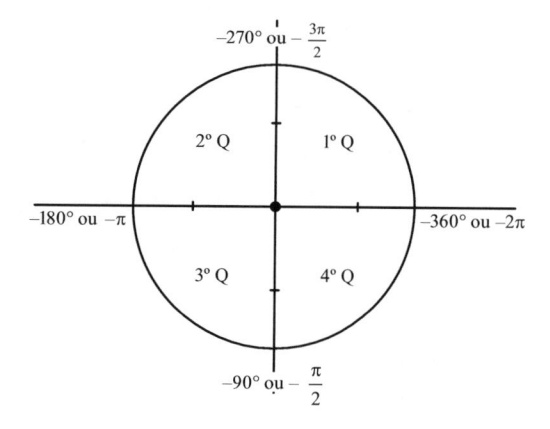

4.2.1 Arcos côngruos

Quando temos mais de uma volta completa em uma circunferência, vemos ângulos que correspondem a posições na circunferência idênticas aos ângulos da primeira volta. Nesse caso, chamamos de **arcos côngruos** aqueles que têm a mesma origem e as mesmas extremidades.

Figura 4.8 – Arcos côngruos

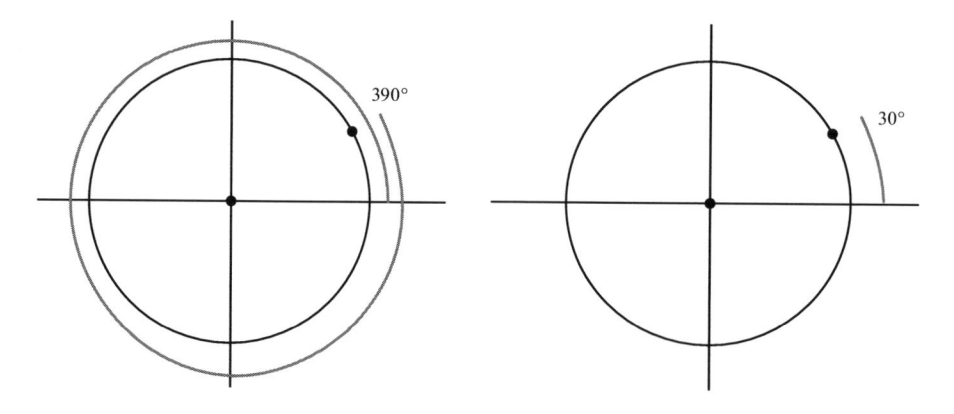

Como podemos perceber na Figura 4.8, 390° e 30° são arcos côngruos.

Exemplo 4.4

Determine o arco côngruo correspondente aos ângulos seguintes. Considere a primeira volta na circunferência.

a) 1 000°

b) $\dfrac{25\pi}{9}$ rad

Solução

a) Primeiramente, devemos dividir o ângulo por 360°. Ao fazermos isso, saberemos o número de voltas completas. O resto da divisão é o ângulo côngruo. Portanto, 1 000 divididos por 360° resultam em 2, com resto 280°. Logo, o ângulo procurado é 280°.

b) Inicialmente, vamos transformar o ângulo em graus, substituindo π por 180°:

$$\dfrac{25 \cdot 180}{9} = 500°$$

Se diminuirmos 360° desse valor, o resto será 140°, que é o ângulo côngruo desejado. Para transformarmos em radianos, fazemos:

180° —— π

140° —— x

180x = 140π

$$x = \dfrac{140\pi}{180} = \dfrac{14\pi}{18} = \dfrac{7\pi}{9} \text{ rad}$$

Exemplo 4.5

Determine em que quadrante está a extremidade do arco $\dfrac{29\pi}{6}$ no ciclo trigonométrico.

Solução

Primeiro, precisamos localizar o arco. Para isso, vamos transformar em graus a sua medida

$$\dfrac{29\pi}{6} = \dfrac{29 \cdot 180°}{6} = 29 \cdot 30° = 870°$$

Agora, vamos dividir o valor encontrado por 360° para obtermos o número de voltas no quociente e a menor determinação no resto.

```
870 | 360
720   2  ———▶ Voltas
150 ————————▶ Menor determinação
```

Como a menor determinação é 150°, podemos dizer que o ângulo está no 3º quadrante. Depois, precisamos encontrar múltiplos de 2π rad:

$$\frac{29\pi}{6} = \frac{24\pi}{6} + \frac{5\pi}{6} = \underbrace{\frac{4\pi}{6}}_{\text{2 voltas}} + \underbrace{\frac{5\pi}{6}}_{}$$

Assim, a menor determinação é $\frac{5\pi}{6}$ e o ângulo está no 3º quadrante.

4.3 Razões trigonométricas na circunferência

No Capítulo 1, tratamos das razões trigonométricas no triângulo retângulo. Agora, estudaremos essas relações no ciclo trigonométrico, por meio de arcos. Iniciaremos com a abordagem de seno e cosseno para, depois, estudarmos a tangente e outras relações.

4.3.1 Seno de um arco

O valor do seno de um arco, na circunferência trigonométrica, corresponde à ordenada do ponto que determina o arco.

Para que possamos compreender melhor essa afirmação, vamos considerar um ponto B, que determina o arco AB, que, por sua vez, determina o ângulo central α. Observe a Figura 4.9 a seguir.

Figura 4.9 – Arco AB na circunferência

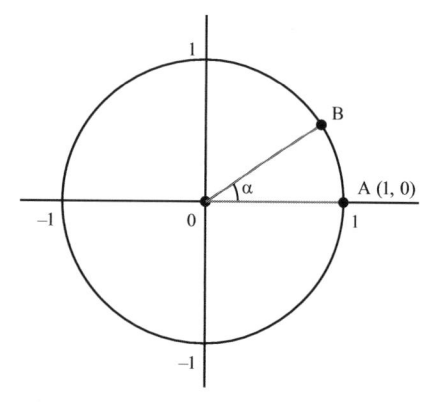

O ponto B possui um par de coordenadas (x, y). A ordenada y será o valor de sen α. Representamos esse valor por meio da projeção ortogonal do ponto B no eixo y.

Figura 4.10 – Projeção ortogonal do ponto B no eixo y

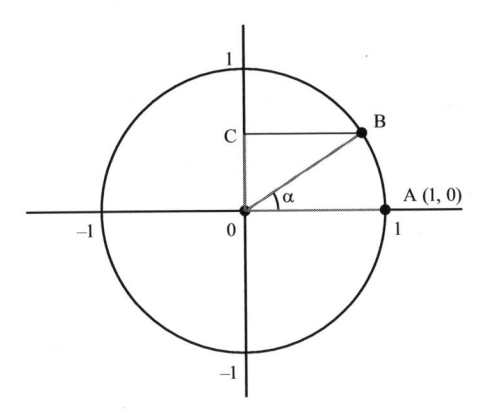

O valor do seno pode variar de –1 a 1. Conforme a localização do arco, o seno será positivo ou negativo.

Figura 4.11 – Sinais do seno

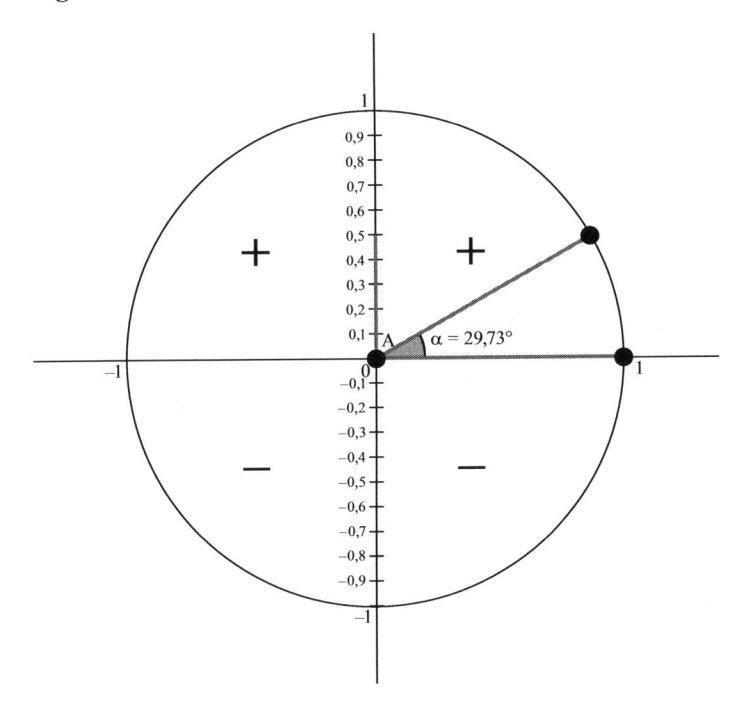

Assim, o valor do seno é positivo no 1º e no 2º quadrantes e negativo no 3º e 4º quadrantes.

4.3.2 Cosseno de um arco

Vamos, agora, verificar o cosseno no ciclo trigonométrico. Realizamos, desta vez, a projeção no eixo x. O cosseno corresponde à abcissa do ponto que definiu o arco.

Observe a Figura 4.12 a seguir que apresenta novamente a projeção do seno, mas desta vez acrescentando o cosseno.

Figura 4.12 – Projeções do ponto B nos eixos

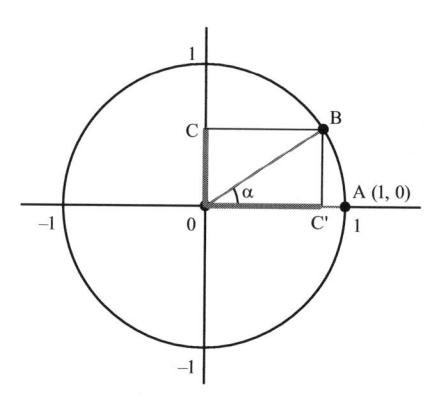

Observe que, quando fazemos a projeção do ponto B, obtemos C e C'. A hipotenusa dos triângulos retângulos formados vale 1, já que é o raio da circunferência. Desse modo, podemos fazer as relações de seno e cosseno do ângulo α:

$$\operatorname{sen} \alpha = \frac{BC'}{1} = BC' = OC$$

$$\cos \alpha = \frac{OC'}{1} = OC'$$

Assim como o seno, os valores do cosseno variam de –1 a 1. Porém, como eles correspondem ao eixo x, seus sinais são diferentes do seno: positivos no 1º e 4º quadrantes e negativos no 2º e 3º quadrantes.

Figura 4.13 – Sinais do cosseno

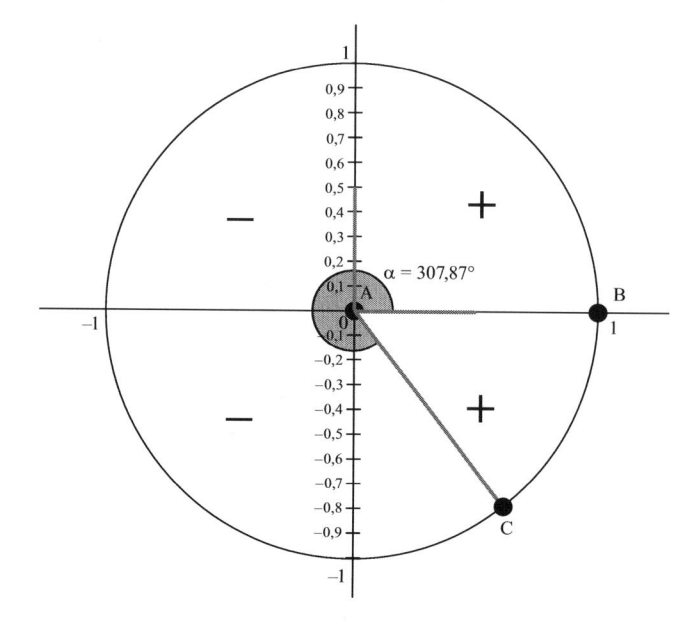

4.3.3 Valores extremos de seno e cosseno

Vamos analisar, agora, os valores de seno e cosseno nos ângulos de 0°, 90°, 180°, 270° e 360°.

Figura 4.14 – Seno e cosseno de 0°, 90° e 360°

0° e 360° ou 2π
sen = 0
cos = 1

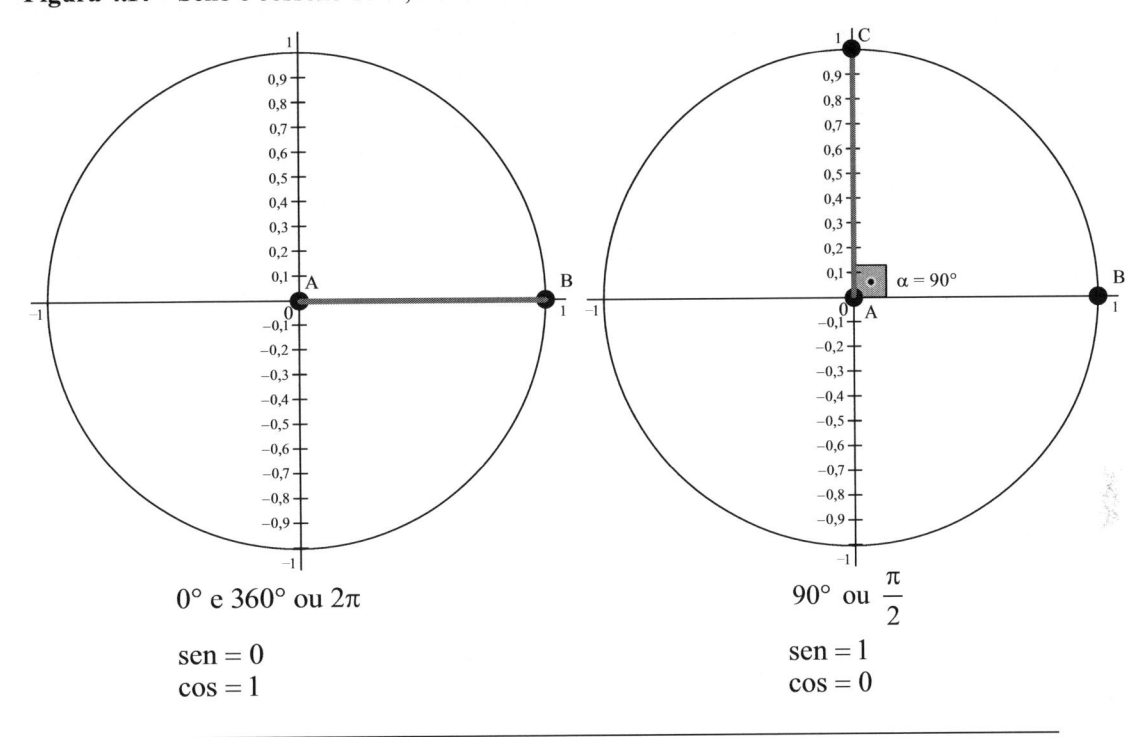

90° ou $\dfrac{\pi}{2}$
sen = 1
cos = 0

Figura 4.15 – Seno e cosseno de 180° e 270°

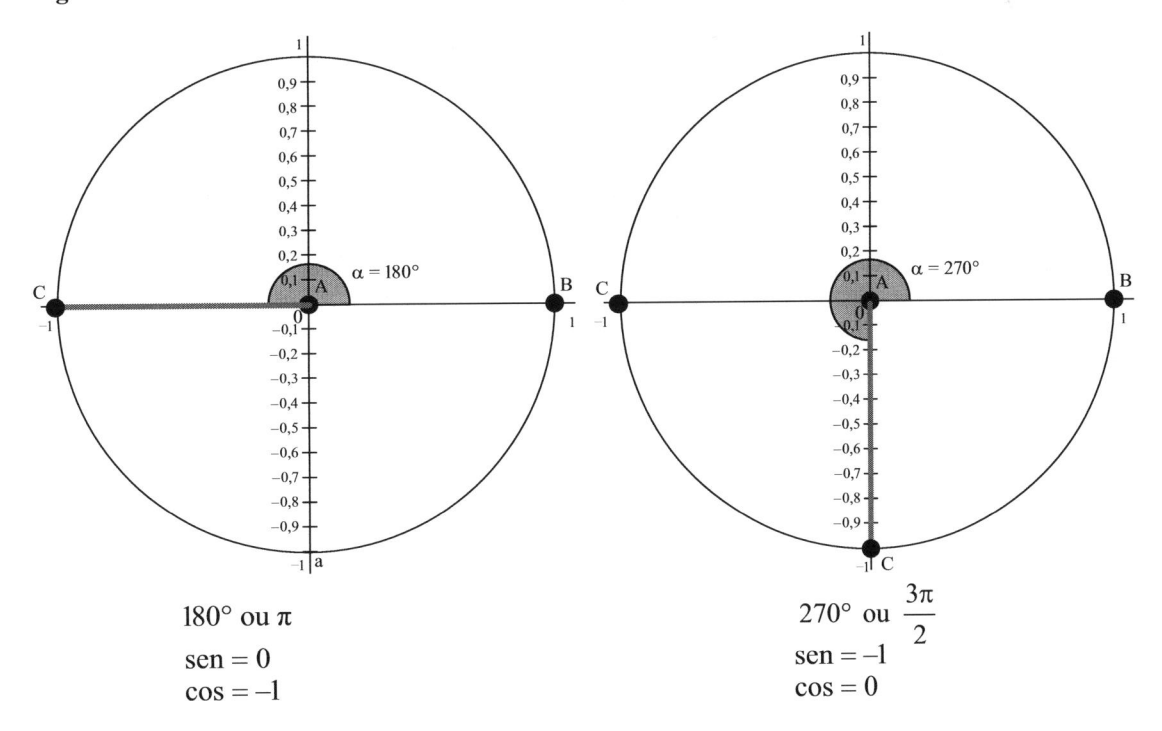

180° ou π
sen = 0
cos = −1

270° ou $\dfrac{3\pi}{2}$
sen = −1
cos = 0

4.3.4 Valores notáveis de seno e cosseno

Tal como no triângulo retângulo, os valores de seno e cosseno são chamados de *notáveis* para ângulos de 30°, 45° e 60°. Vamos representar esses valores no ciclo trigonométrico, lembrando que eles também podem ser indicados em radianos.

Figura 4.16 – Seno e cosseno de 30°

$\alpha = \dfrac{\pi}{6}(30°)$

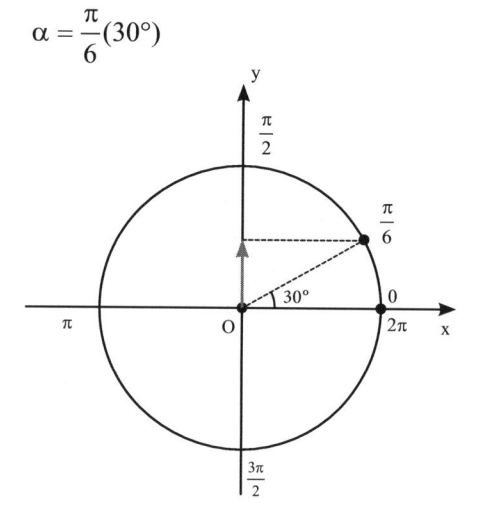

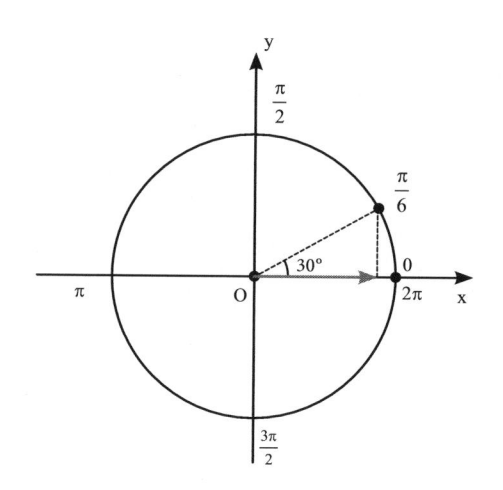

$$\operatorname{sen}\dfrac{\pi}{6} = \dfrac{1}{2} \text{ ou sen } 30° = \dfrac{1}{2} \qquad \cos\dfrac{\pi}{6} = \dfrac{\sqrt{3}}{2} \text{ ou } \cos 30° = \dfrac{\sqrt{3}}{2}$$

Figura 4.17 – Seno e cosseno de 45°

$\alpha = \dfrac{\pi}{4}(45°)$

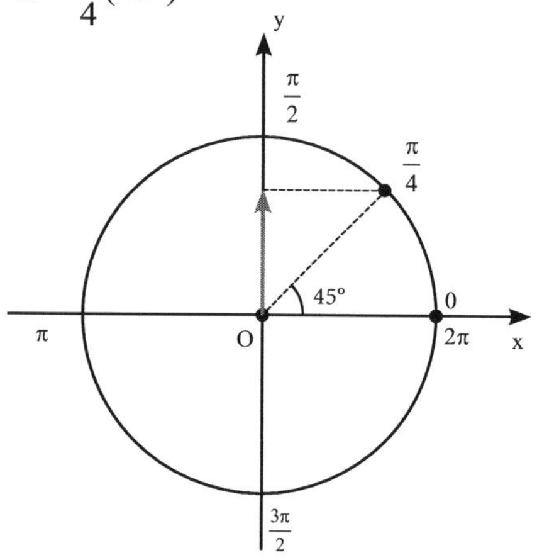

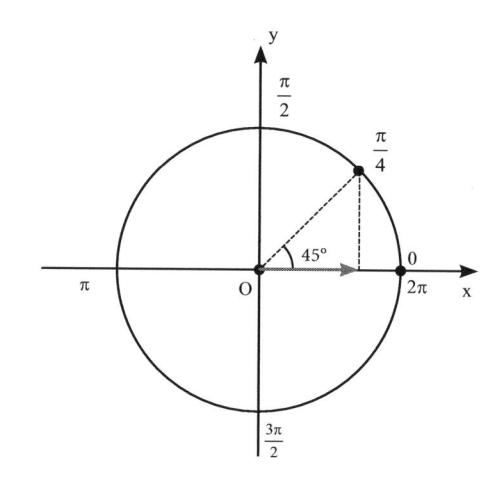

$$\operatorname{sen}\dfrac{\pi}{4} = \dfrac{\sqrt{2}}{2} \text{ ou sen } 45° = \dfrac{\sqrt{2}}{2} \qquad \cos\dfrac{\pi}{4} = \dfrac{\sqrt{2}}{2} \text{ ou } \cos 45° = \dfrac{\sqrt{2}}{2}$$

Figura 4.18 – Seno e cosseno de 60°

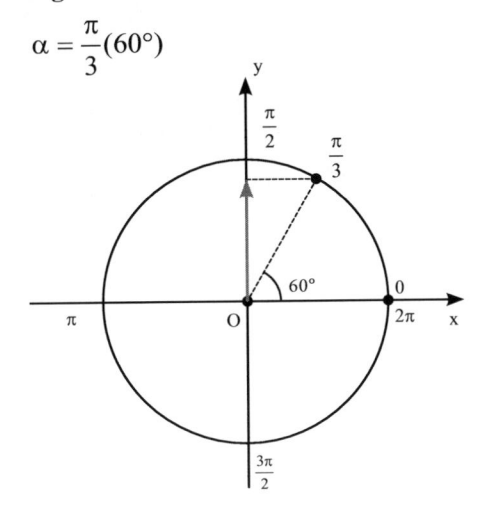

$$\alpha = \frac{\pi}{3}(60°)$$

$$\text{sen}\,\frac{\pi}{3} = \frac{\sqrt{3}}{2} \text{ ou sen } 60° = \frac{\sqrt{3}}{2} \qquad \cos\frac{\pi}{6} = \frac{1}{2} \text{ ou } \cos 60° = \frac{1}{2}$$

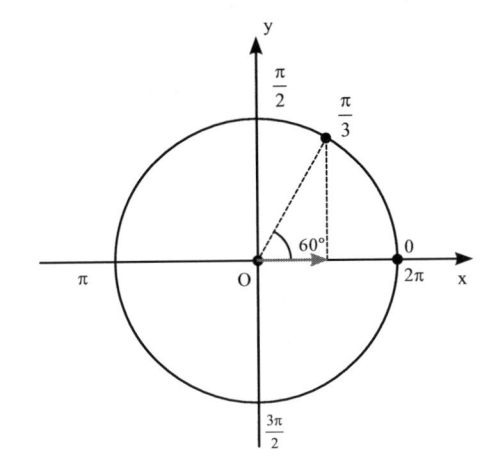

4.3.5 Tangente de um arco

Para estudarmos a tangente, devemos considerar um eixo paralelo ao eixo das ordenadas que tangencia a circunferência. Os valores da tangente não estão limitados de –1 até 1 como no caso do seno e do cosseno. Contudo, existe uma particularidade para ângulos de 90° e 270°, nos quais a tangente não existe.

Para determinarmos o valor da tangente, devemos prolongar o segmento do raio que finda no ponto que delimita o arco até o **eixo das tangentes**. Observe que, na Figura 4.19 ao lado, quando fazemos esse prolongamento, obtemos o ponto E. A tangente corresponde ao valor de BE.

Figura 4.19 – Eixo das tangentes

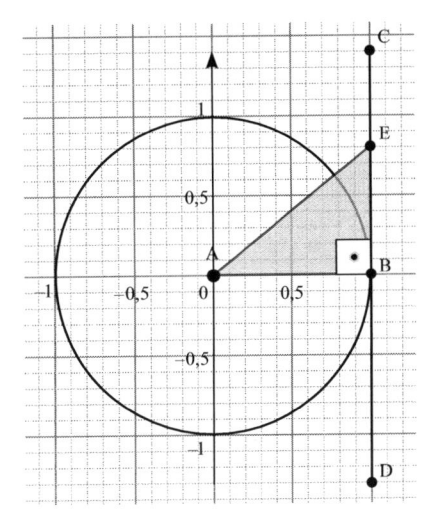

Podemos usar outras nomenclaturas para os pontos na circunferência, pois isso não interfere na definição da tangente. Observe, por exemplo, outra representação para seno, cosseno e tangente de um ângulo na Figura 4.20 a seguir.

Figura 4.20 – Seno, cosseno e tangente do ângulo de 232,23°

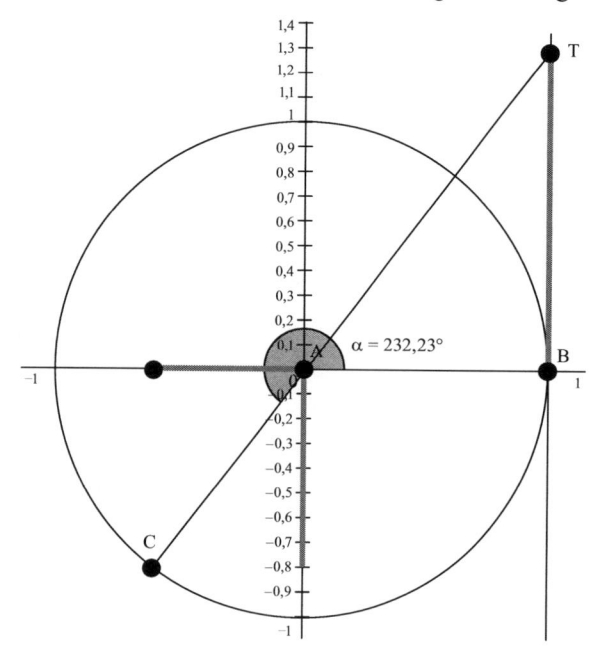

Na Figura 4.20, quando fazemos o prolongamento do ponto C (que define o arco cujo ângulo central é 232,23°), encontramos o valor da tangente no segmento BT.

A tangente é positiva no 1º e 3º quadrantes e negativa no 2º e 4º quadrantes.

Figura 4.21 – Sinais da tangente

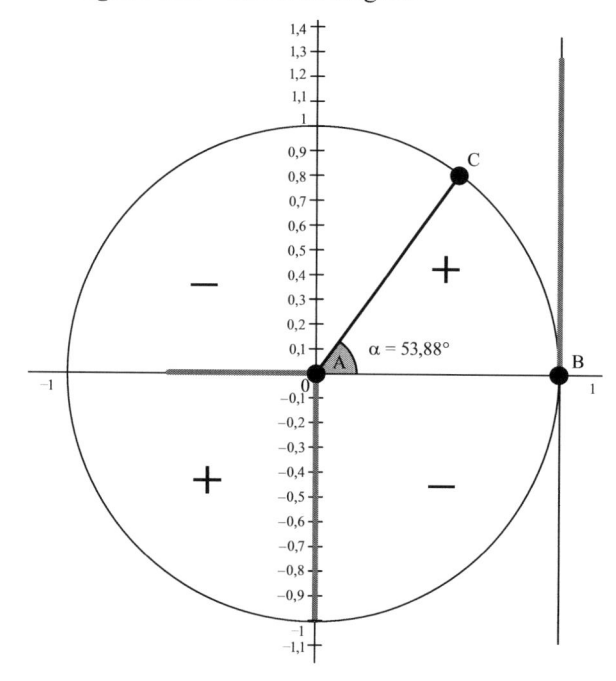

Veja, agora, alguns valores notáveis para a tangente. Na Figura 4.22 a seguir, o eixo das tangentes está indicado por y'.

Figura 4.22 – Valores notáveis para a tangente

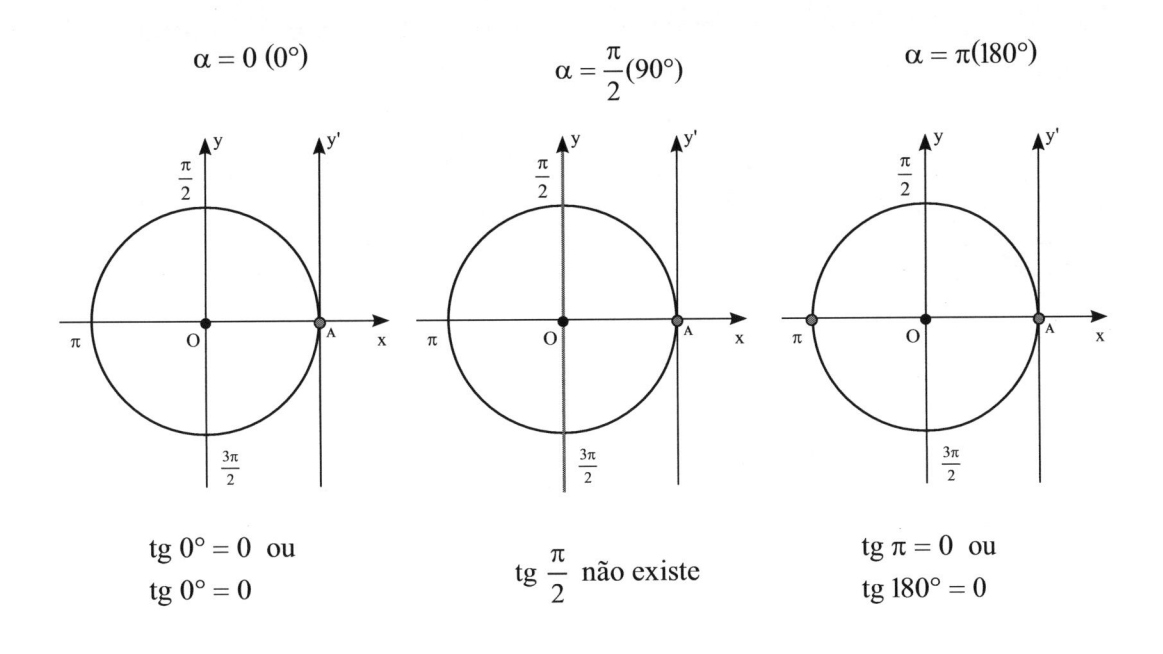

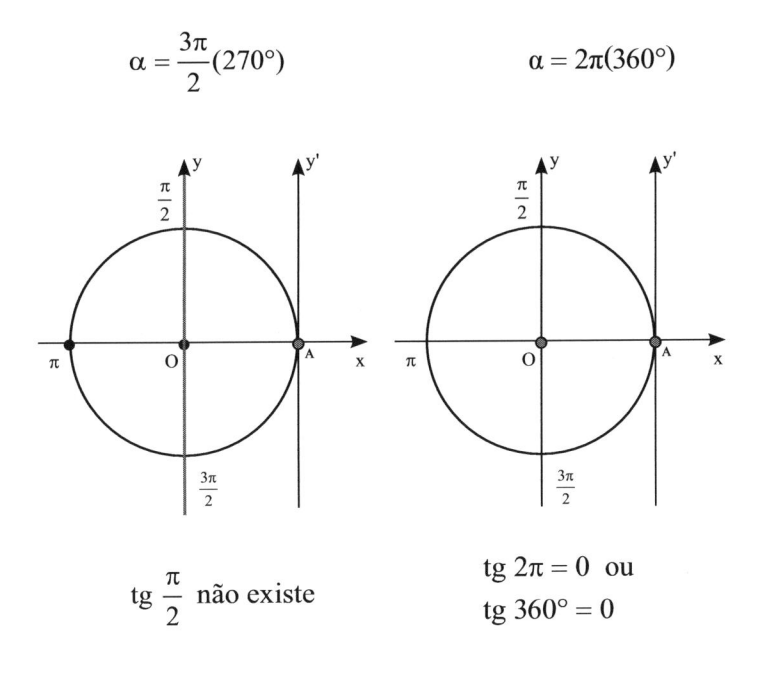

$\alpha = 0 \ (0°)$

tg $0° = 0$ ou
tg $0° = 0$

$\alpha = \dfrac{\pi}{2}(90°)$

tg $\dfrac{\pi}{2}$ não existe

$\alpha = \pi(180°)$

tg $\pi = 0$ ou
tg $180° = 0$

$\alpha = \dfrac{3\pi}{2}(270°)$

tg $\dfrac{\pi}{2}$ não existe

$\alpha = 2\pi(360°)$

tg $2\pi = 0$ ou
tg $360° = 0$

4.3.6 Simetrias e redução ao 1º quadrante

Uma das utilidades do uso do ciclo trigonométrico é calcular seno, cosseno e tangente a partir de ângulos simétricos. Como você poderia calcular o seno de 150° sem calculadora? Ou o cosseno de 330°?

Na circunferência trigonométrica, encontramos algumas simetrias. Por exemplo, um ângulo de 45° em relação ao eixo x é simétrico aos ângulos de 135°, de 225° e de 315°.

Figura 4.23 – Simetrias do ângulo de 45°

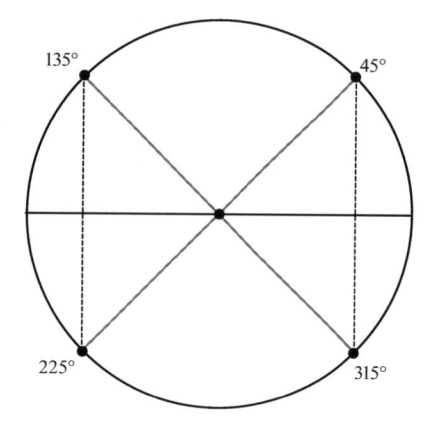

Agora veremos que é possível reduzir ângulos ao 1º quadrante, o que pode ser útil já que conhecemos os valores notáveis de seno, cosseno e tangente.

Redução do 2º ao 1º quadrante

Se um ângulo β se encontra no 2º quadrante, podemos encontrar o seu correspondente α no 1º quadrante ao verificar o quanto falta para $\pi(180°)$. Como consequência, temos as seguintes relações:

$$\operatorname{sen}(\pi - \alpha) = \operatorname{sen} \alpha$$
$$\cos(\pi - \alpha) = -\cos \alpha$$

Exemplo 4.6

Calcule $\operatorname{sen} \dfrac{5\pi}{6}$.

Solução

O ângulo $\dfrac{5\pi}{6}$ está no 2º quadrante. Para acharmos o seu correspondente no 1º quadrante, devemos calcular o quanto falta para π. Assim:

$$\pi - \dfrac{5\pi}{6} = \dfrac{\pi}{6}$$
$$180° - 150° = 30°$$

Agora, veja como fica o cálculo do seno de $\dfrac{5\pi}{6}$.

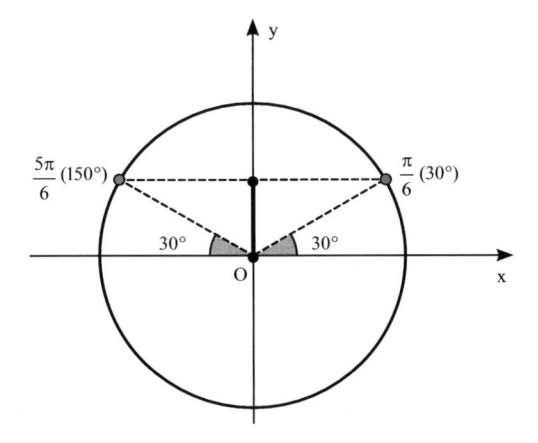

$$\operatorname{sen}\dfrac{5\pi}{6} = \operatorname{sen}\dfrac{\pi}{6} = \dfrac{1}{2} \text{ ou } \operatorname{sen} 150° = \operatorname{sen} 30° = \dfrac{1}{2}$$

Redução do 3º ao 1º quadrante

Se um ângulo β se encontra no 3º quadrante, podemos encontrar o seu correspondente α no 1º quadrante ao verificar o quanto passou de $\pi(180°)$. Como consequência, temos as seguintes relações:

$$\operatorname{sen}(\pi + \alpha) = -\operatorname{sen}\alpha$$
$$\cos(\pi + \alpha) = -\cos\alpha$$

Exemplo 4.7

Calcule $\cos\dfrac{7\pi}{6}$.

■ Solução

O ângulo $\dfrac{7\pi}{6}$ está no 3º quadrante. Para acharmos o seu correspondente no 1º quadrante, devemos calcular o quanto o ângulo passou de π. Assim:

$$\dfrac{7\pi}{6} - \pi = \dfrac{\pi}{6}$$
$$210° - 180° = 30°$$

A seguir, veja como fica o cálculo do cosseno de $\dfrac{7\pi}{6}$.

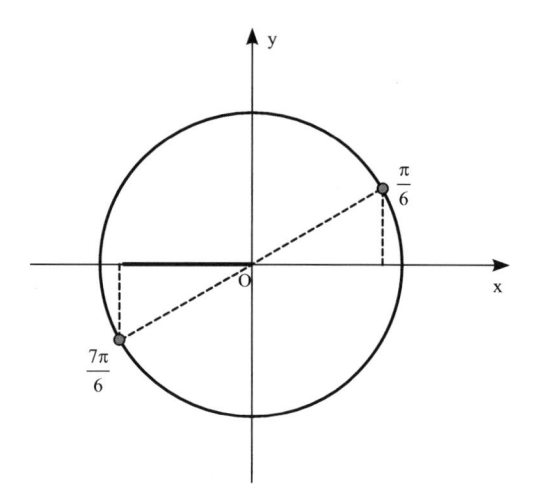

$$\cos \dfrac{7\pi}{6} = -\cos \dfrac{\pi}{6} = -\dfrac{\sqrt{3}}{2} \text{ ou } \cos 210° = -\cos 30° = -\dfrac{\sqrt{3}}{2}$$

Redução do 4º ao 1º quadrante

Se um ângulo β se encontra no 4º quadrante, podemos encontrar o seu correspondente α no 1º quadrante ao verificar o quanto falta para $2\pi(360°)$. Como consequência, temos as seguintes relações:

$$\text{sen }(2\pi - \alpha) = -\text{sen }\alpha$$
$$\cos (2\pi - \alpha) = \cos \alpha$$

Exemplo 4.8

Calcule $\operatorname{sen} \dfrac{5\pi}{3}$.

■ Solução

O ângulo $\dfrac{5\pi}{3}$ está no 4º quadrante. Para achar o seu correspondente no 1º quadrante, devemos calcular o quanto falta para 2π. Assim:

$$2\pi - \frac{\pi}{3} = \frac{5\pi}{3}$$
$$360° - 60° = 300°$$

Agora, vamos obter o valor do seno de $\dfrac{5\pi}{3}$.

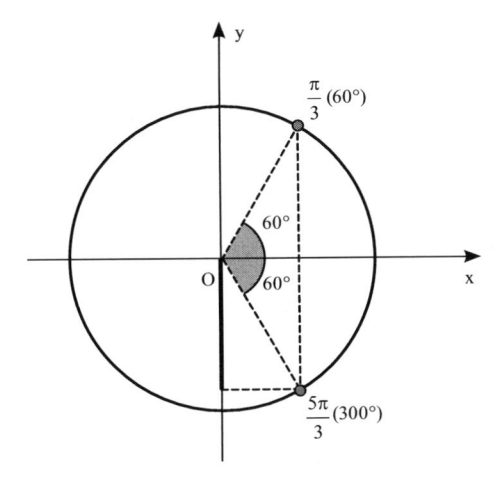

$$\operatorname{sen} \frac{5\pi}{3} = -\operatorname{sen} \frac{\pi}{3} = -\frac{\sqrt{3}}{2} \text{ ou } \operatorname{sen} 300° = -\operatorname{sen} 60° = -\frac{\sqrt{3}}{2}$$

4.3.7 Relação trigonométrica fundamental

Ao considerarmos o triângulo retângulo OPM da Figura 4.24 a seguir, sabendo que o raio da circunferência trigonométrica equivale a 1, se aplicarmos o teorema de Pitágoras, teremos a relação trigonométrica fundamental:

$$\operatorname{sen}^2 x + \cos^2 x = 1$$

Figura 4.24 – Relação trigonométrica fundamental

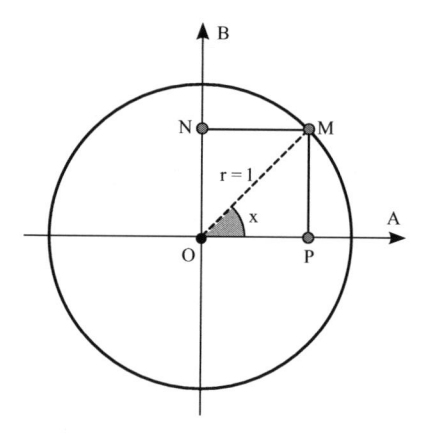

Essa relação é válida em qualquer triângulo retângulo, pois faz uso do teorema de Pitágoras, isto é, para qualquer triângulo retângulo de hipotenusa c e catetos a e b, temos:

$$a^2 + b^2 = c^2 \Leftrightarrow \frac{a^2}{c^2} + \frac{b^2}{c^2} = 1 \Leftrightarrow \cos^2(x) + \operatorname{sen}^2(x) = 1$$

Exemplo 4.9

Dado $\operatorname{sen} x = -\dfrac{3}{5}$ e $\pi < x < \dfrac{3\pi}{2}$, calcule $\cos x$.

Solução

Sabemos que:

$$\operatorname{sen}^2 x + \cos^2 x = 1$$

Então, temos:

$$\left(-\frac{3}{5}\right)^2 + \cos^2 x = 1 \Rightarrow \cos^2 x = 1 - \frac{9}{25} \Rightarrow \cos^2 x = \frac{16}{25} \Rightarrow \cos x = \pm\frac{4}{5}$$

Como o ângulo está no 3º quadrante, o cosseno é negativo, logo a resposta é:

$$\cos x = -\frac{4}{5}$$

4.3.8 Razões trigonométricas recíprocas

Vamos observar três razões trigonométricas diferentes: 1) a cotangente, a relação inversa à tangente; 2) a cossecante, a relação inversa ao seno; e 3) a secante, a relação inversa ao cosseno. Vejamos as representações dessas relações no ciclo trigonométrico.

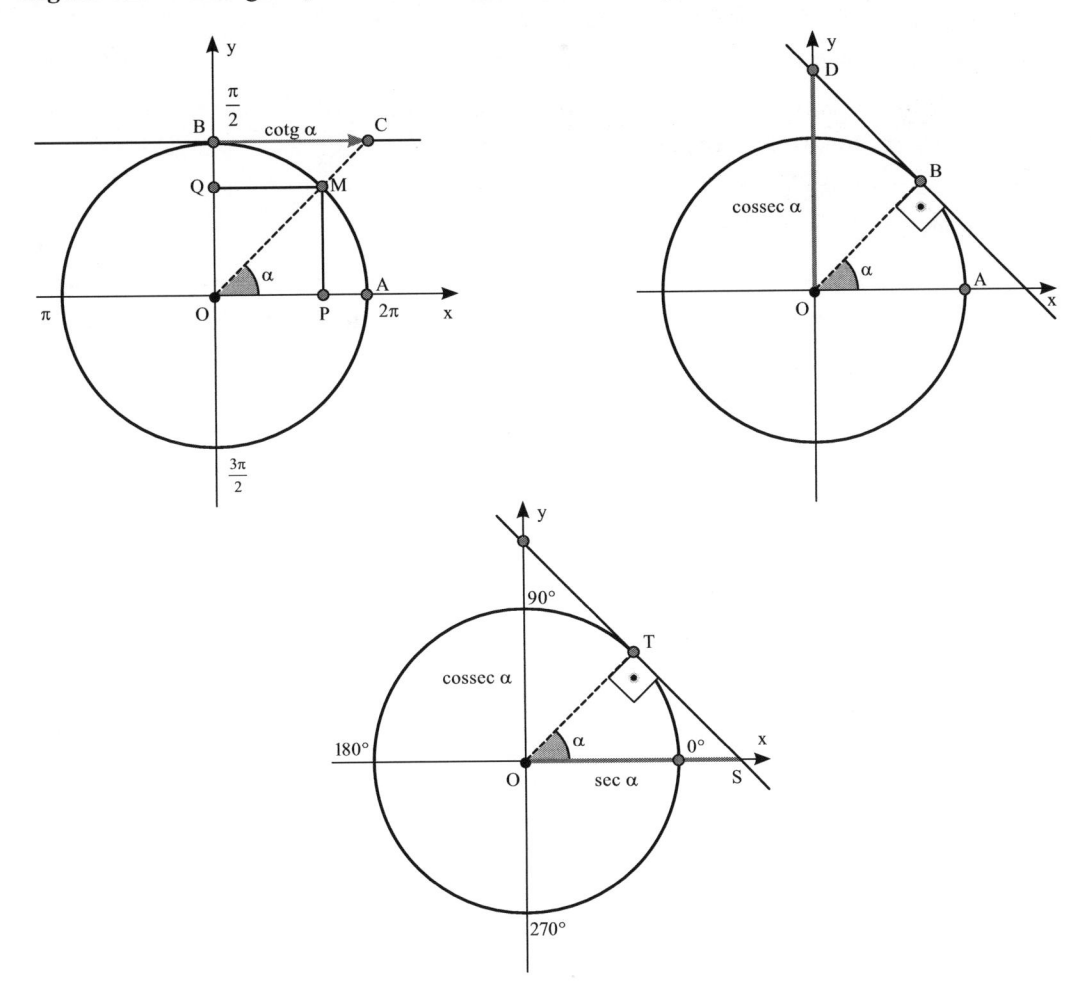

Figura 4.25 – Cotangente, cossecante e secante no ciclo trigonométrico

Essas relações foram estabelecidas a partir de semelhança de triângulos. Assim, temos:

$$\cotg \alpha = \frac{\cos \alpha}{\sen \alpha} = \frac{1}{\tg \alpha}, \ \alpha \neq k\frac{\pi}{2}, \ k \in \mathbb{Z}$$

$$\sec \alpha = \frac{1}{\cos \alpha}, \ \alpha \neq \frac{\pi}{2} + k\pi, \ k \in \mathbb{Z}$$

$$\cossec \alpha = \frac{1}{\sen \alpha}, \ \alpha \neq k\pi, \ k \in \mathbb{Z}$$

4.4 Equações e inequações trigonométricas

Talvez você tenha observado que, nas condições para o ângulo α do tópico anterior, usamos a letra k. Precisamos compreender o que isso significa para determinarmos as soluções para equações e inequações trigonométricas.

Como vimos anteriormente, podemos ter arcos côngruos no ciclo trigonométrico. Esses arcos, por apresentarem a mesma extremidade, têm os mesmos valores de seno, cosseno e tangente. Desse modo, ao resolvermos uma equação ou inequação trigonométrica, devemos considerar todos os arcos côngruos possíveis. Como seria impossível determinar todos eles, fazemos uso da letra k para indicar as voltas possíveis que determinam os arcos côngruos.

Ao usarmos $2k\pi$, $k \in \mathbb{Z}$, estamos nos referindo a infinitas voltas completas que culminam em um determinado arco. Quando escrevemos $k\pi$, $k \in \mathbb{Z}$, estamos tratando de meia-volta. Ou seja, quando escrevemos $\frac{\pi}{4} + k\pi$, $k \in \mathbb{Z}$, estamos considerando os ângulos:

$$\frac{\pi}{4}, \frac{5\pi}{4}, \frac{9\pi}{4}, \frac{13\pi}{4}, \ldots$$

Ou, se escrevermos em graus, teremos:

45°, 225°, 405°, 585°, ...

Nesse último caso, não são arcos côngruos, mas arcos simétricos. Por isso, devemos refletir sobre o sinal do seno e do cosseno.

Podemos utilizar um roteiro para resolver equações do tipo sen $x = \alpha$ e cos $x = \alpha$. O primeiro passo é identificar os quadrantes das possíveis soluções. Depois, recorrer aos valores notáveis e extremos. Na sequência, encontrar ângulos simétricos que estejam nos quadrantes identificados. Por último, incluir os arcos côngruos nas soluções.

Exemplo 4.10

Resolva a equação sen $x = -\frac{1}{2}$.

Solução

Sabemos que o seno é negativo nos quadrantes 3 e 4. Então, os ângulos desejados estarão nesses quadrantes.

Entre os valores notáveis e extremos, sabemos que sen $\frac{\pi}{6} = \frac{1}{2}$.

Agora, devemos encontrar os ângulos simétricos a $\frac{\pi}{6}$ que estejam no 3º e 4º quadrantes.

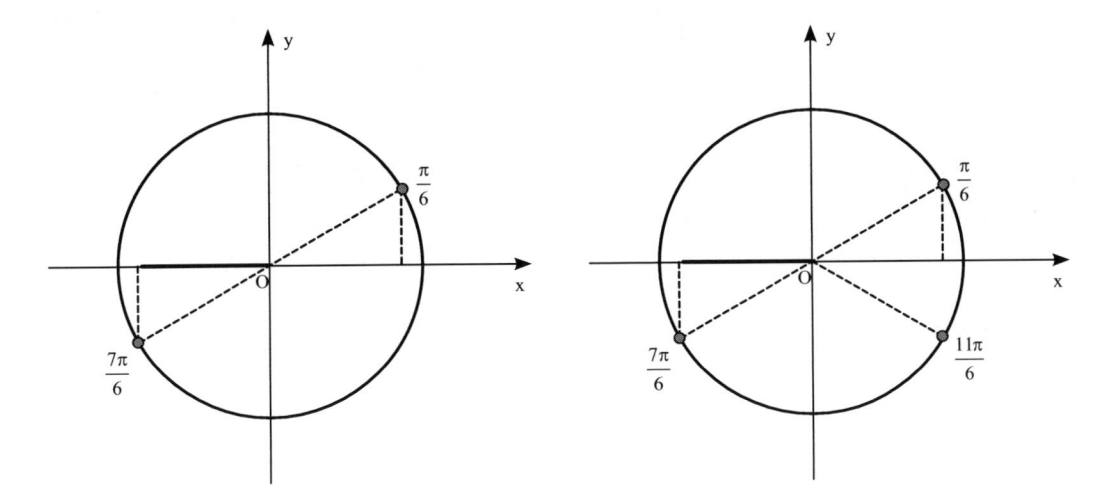

Expandindo os horizontes da multiplicação: os números racionais 133

Se levarmos em consideração os arcos côngruos, teremos como solução:

$$S = \left\{ x = \frac{7\pi}{6} + 2k\pi,\ k \in \mathbb{Z},\ \text{ou}\ x = \frac{11\pi}{6} + 2k\pi,\ k \in \mathbb{Z} \right\}$$

Exemplo 4.11

Resolva a equação $\cos x = -\dfrac{1}{2}$.

Solução

Sabemos que o cosseno é negativo nos quadrantes 2 e 3. Então, os ângulos desejados estarão nesses quadrantes.

Entre os valores notáveis e extremos, sabemos que $\cos \dfrac{\pi}{3} = \dfrac{1}{2}$.

Agora, devemos encontrar os ângulos simétricos a $\dfrac{\pi}{3}$ que estejam no 2º e 3º quadrantes. Podemos fazer isso usando $\pi - \dfrac{\pi}{3}$ e $\pi + \dfrac{\pi}{3}$. Ou seja, os ângulos simétricos são $\dfrac{2\pi}{3}$ e $\dfrac{4\pi}{3}$.

Por fim, determinamos a solução:

$$S = \left\{ x = \frac{2\pi}{3} + 2k\pi,\ k \in \mathbb{Z},\ \text{ou}\ x = \frac{4\pi}{3} + 2k\pi,\ k \in \mathbb{Z} \right\}$$

FIQUE ATENTO!

Quando os arcos determinados como solução distam π rad entre si, podemos escrever a solução apenas com o menor ângulo adicionado de $k\pi$.

Exemplo 4.12

Resolva a inequação $\operatorname{sen} x > \dfrac{\sqrt{3}}{2}$.

Solução

Para resolvermos inequações trigonométricas, precisamos analisar o ciclo trigonométrico.

Sabemos que o seno é positivo no 1º e 2º quadrantes e que, no 1º quadrante, $\operatorname{sen} \dfrac{\pi}{3} = \dfrac{\sqrt{3}}{2}$. Os ângulos simétricos no 1º e 2º quadrantes são $\dfrac{\pi}{3}$ e $\dfrac{2\pi}{3}$.

Agora, analisamos esses valores na circunferência para identificar os valores que resultam em seno maior que $\dfrac{\sqrt{3}}{2}$. Note que, para obtermos valores maiores, teremos que ter arcos maiores que $\dfrac{\pi}{3}$ (e todos os seus arcos côngruos) no 1º quadrante.

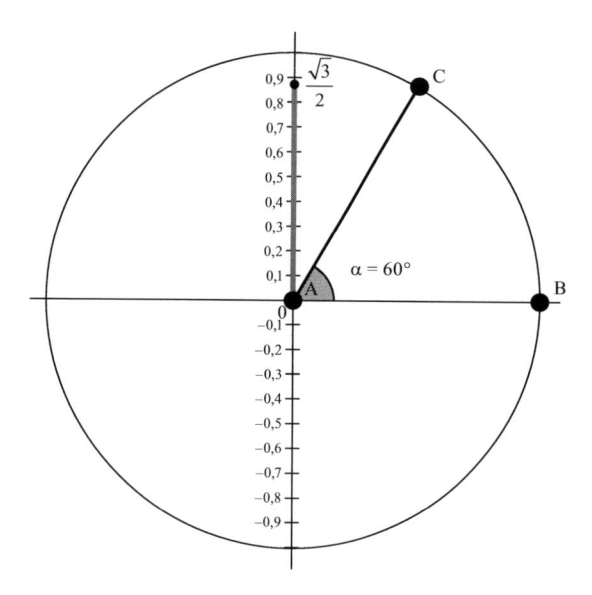

Se analisarmos o ângulo $\dfrac{2\pi}{3}$, veremos que os valores do seno decrescem à medida que o ângulo aumenta nesse quadrante. Por isso, precisaremos de valores menores que $\dfrac{2\pi}{3}$ para que o seno seja maior que $\dfrac{\sqrt{3}}{2}$.

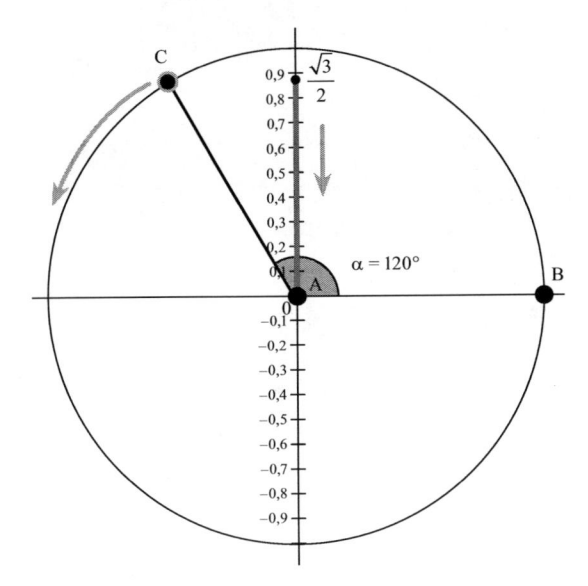

Então, teremos ângulos maiores que $\dfrac{\pi}{3}$ e menores que $\dfrac{2\pi}{3}$ e seus arcos côngruos. Portanto, a solução é:

$$S = \left\{ \dfrac{\pi}{3} + 2k\pi < x < \dfrac{2\pi}{3} + 2k\pi,\ k \in \mathbb{Z} \right\}$$

Exemplo 4.13

No lançamento de uma bola, o movimento horizontal é dado por $\Delta x = t \cdot v_0 \cdot \cos \alpha$, em que t é o tempo transcorrido, v_0, a velocidade inicial do lançamento, α, o ângulo de lançamento.

Se uma bola foi lançada com velocidade inicial igual 1 m/s e, após 3 s, o movimento horizontal é de 1,5 m, qual o ângulo de lançamento, sabendo que ele é menor que 90°?

Solução

Vamos substituir os valores dados na fórmula:

$$\Delta x = t \cdot v_0 \cdot \cos \alpha$$
$$1,5 = 3 \cdot 1 \cdot \cos \alpha$$
$$1,5 = 3 \cdot \cos \alpha$$
$$\dfrac{1,5}{3} = \cos \alpha$$
$$0,5 = \cos \alpha$$

Como o ângulo está no 1º quadrante, temos uma única solução, $\alpha = 60°$.

Fique atento!

Para resolvermos equações, também podemos utilizar as relações dos arcos complementares:

$$\operatorname{sen}\left(\frac{\pi}{2} - x\right) = \cos x \qquad \operatorname{tg}\left(\frac{\pi}{2} - x\right) = \operatorname{cotg} x \qquad \sec\left(\frac{\pi}{2} - x\right) = \operatorname{cossec} x$$

4.5 Relações e transformações trigonométricas

Até agora trabalhamos com ângulos notáveis ou extremos. Como podemos obter o seno de 15°? Ou o cosseno de 75°? É possível usarmos algumas estratégias para obter esses valores sem uso de calculadora. Vamos estudar as relações e as transformações trigonométricas que podem nos auxiliar nesses processos.

4.5.1 Adição de arcos

A expressão de adição de arcos é uma das mais importantes da trigonometria.

Se a e b são arcos de 1º quadrante cuja soma pertence ao 1º quadrante, vamos encontrar a expressão do sen (a + b).

Figura 4.26 – Adição de arcos

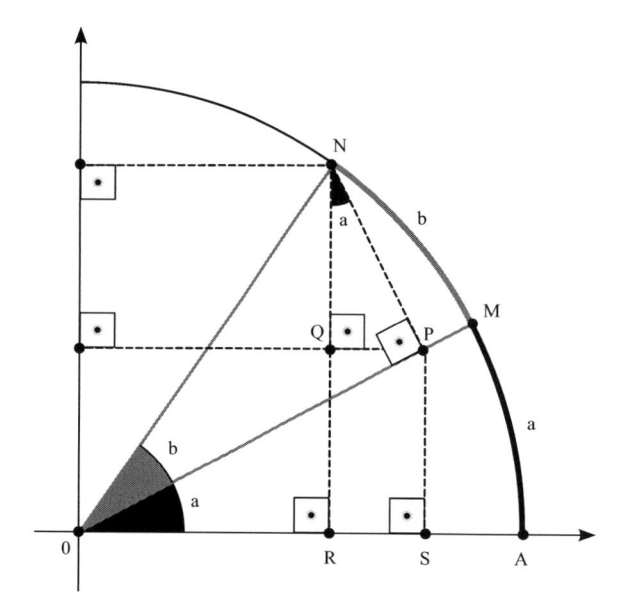

Com base na Figura 4.26, temos algumas informações:

- Os arcos a = AM e b = MN.
- Ângulos de lados perpendiculares são representados por *a* (ângulos de lados perpendiculares são iguais ou suplementares).
- Os lados opostos de um retângulo são QR = PS e QP = RS.
- No triângulo ORN, temos sen (a + b) = NR = NQ + QR.

Desse modo, podemos estabelecer as seguintes relações:

QR = PS, ou seja, sen (a + b) = NQ + PS (I)
Cálculo do seno em $\triangle$OSP: PS = OP sen a (II)
Cálculo do cosseno em $\triangle$NQP: NQ = NP cos a (III)

Da expressão I, temos que sen (a + b) = NQ + PS. Se substituirmos os valores obtidos em II e III em I, teremos:

sen (a + b) = NP cos a + OP sen a

Porém, NP = sen b e OP = cos b (circunferência de raio ON = 1), portanto:

sen (a + b) = sen a · cos b + sen b · cos a

Da mesma forma, é possível verificar que:

cos (a + b) = cos a · cos b − sen a · sen b. Do ciclo trigonométrico, temos que sen (−b) = −sen b e cos (−b) = cos b. Podemos aplicar esses conceitos nas expressões dadas: sen (a − b) = sen [a + (−b)] = sen a · cos (−b) · cos a.

Assim, temos:

sen (a − b) = sen a · cos b − sen b · cos a

E também podemos obter o cosseno da diferença:

cos (a − b) = cos a · cos b + sen a · sen b

Podemos obter, ainda, a tangente por meio do seno e do cosseno:

$$\text{tg}(a+b) = \frac{\text{sen}(a+b)}{\cos(a+b)} \quad \text{ou} \quad \text{tg}(a+b) = \frac{\text{sen } a \cdot \cos b + \text{sen } b \cdot \cos a}{\cos a \cdot \cos b - \text{sen } a \cdot \text{sen } b}$$

Dividida por cos a · cos b ≠ 0, chega a:

$$\text{tg}(a+b) = \frac{\dfrac{\text{sen } a \cdot \cos b}{\cos a \cdot \cos b} + \dfrac{\text{sen } b \cdot \cos a}{\cos a \cdot \cos b}}{\dfrac{\cos a \cdot \cos b}{\cos a \cdot \cos b} - \dfrac{\text{sen } a \cdot \text{sen } b}{\cos a \cdot \cos b}} = \frac{\dfrac{\text{sen } a}{\cos a} + \dfrac{\text{sen } b}{\cos b}}{1 - \dfrac{\text{sen } a}{\cos a} \cdot \dfrac{\text{sen } b}{\cos b}}$$

$$\text{tg}(a+b) = \frac{\text{tg } a + \text{tg } b}{1 - \text{tg } a \cdot \text{tg } b}$$

Também podemos obter a tangente da diferença:

$$\text{tg}(a-b) = \frac{\text{tg } a - \text{tg } b}{1 + \text{tg } a \cdot \text{tg } b}$$

Para a tangente, consideramos que as relações são válidas para $a \neq \dfrac{\pi}{2} + k\pi$, $b \neq \dfrac{\pi}{2} + k\pi$, $(a+b) \neq \dfrac{\pi}{2} + k\pi$, $k \in \mathbb{Z}$.

Exemplo 4.14

Calcule sen 75°.

Solução

O arco de 75° é a soma dos arcos notáveis 45° e 30°.

Assim:

$$\text{sen } 75° = \text{sen}(45° + 30°) = \text{sen } 45° \cdot \cos 30° + \text{sen } 30° \cdot \cos 45°$$

$$\text{sen } 75° = \frac{\sqrt{2}}{2} \cdot \frac{\sqrt{3}}{2} + \frac{1}{2} \cdot \frac{\sqrt{2}}{2} = \frac{\sqrt{6}}{4} + \frac{\sqrt{2}}{4} = \frac{\sqrt{6} + \sqrt{2}}{4}$$

Exemplo 4.15

Calcule cos 15°.

Solução

O arco de 15° é a diferença entre 45° e 30°.

Portanto:

$$\cos 15° = \cos(45° - 30°) = \cos 45° \cdot \cos 30° + \text{sen } 45° \cdot \text{sen } 30°$$

$$\cos 15° = \frac{\sqrt{2}}{2} \cdot \frac{\sqrt{3}}{2} + \frac{\sqrt{2}}{2} \cdot \frac{1}{2} = \frac{\sqrt{6} + \sqrt{2}}{4}$$

4.5.2 Arco duplo

Vejamos, agora, como obter os valores de seno, cosseno e tangente de arcos duplos.

Seno de um arco duplo

Quando desejamos calcular o valor do seno de um arco com valor duplicado de um outro qualquer, podemos usar a seguinte relação:

$$\text{sen}(2a) = \text{sen}(a+a) = \text{sen}\,a \cdot \cos a + \text{sen}\,a \cdot \cos a \Rightarrow \text{sen}(2a) = 2\,\text{sen}\,a \cdot \cos a$$

Cosseno de um arco duplo

Podemos obter cos 2a a partir das fórmulas de adição:

$$\cos(2a) = \cos(a+a) = \cos a \cdot \cos a - \text{sen}\,a \cdot \text{sen}\,a \Rightarrow \cos(2a) = \cos^2 a - \text{sen}^2 a$$

Por meio da relação fundamental $\text{sen}^2 x + \cos^2 x = 1$, podemos obter expressões como $\text{sen}^2 x = 1 - \cos^2 x$ e $\cos^2 x = 1 - \text{sen}^2 x$, as quais podem ser substituídas na expressão de cos (2a). Observe:

$$\cos(2a) = 1 - \text{sen}^2 a - \text{sen}^2 a \Rightarrow \cos(2a) = 1 - 2\,\text{sen}^2 a$$

ou

$$\cos(2a) = \cos^2 a - (1 - \cos^2 a) \Rightarrow \cos(2a) = 2\cos^2 a - 1$$

FIQUE ATENTO!

O arco duplo do cosseno é utilizado para resolver muitos cálculos em matemática. Podemos obter duas expressões muito conhecidas:

- A partir de $\cos(2a) = 1 - 2\,\text{sen}^2 a$, podemos obter $\text{sen}^2 a = \dfrac{1 - \cos 2a}{2}$.

- A partir de $\cos(2a) = 2\cos^2 a - 1$, podemos obter $\cos^2 a = \dfrac{1 + \cos 2a}{2}$.

Tangente de um arco duplo

Também podemos verificar uma fórmula específica para cálculo da tangente de um arco duplo:

$$\text{tg}(2a) = \text{tg}(a+a) = \frac{\text{tg}\,a + \text{tg}\,a}{1 - \text{tg}\,a \cdot \text{tg}\,a} \Rightarrow \text{tg}\,2a = \frac{2\,\text{tg}\,a}{1 - \text{tg}^2 a}$$

Exemplo 4.16

Dado $\operatorname{sen} x = -\dfrac{3}{5}\left(\pi < x < \dfrac{3\pi}{2}\right)$, determine sen (2x).

Solução

Primeiro, devemos calcular o cosseno por meio da expressão $\operatorname{sen}^2 x + \cos^2 x = 1$. Assim:

$$\left(-\frac{3}{5}\right)^2 + \cos^2 x = 1 \Rightarrow \cos^2 x = 1 - \frac{9}{25} \Rightarrow \cos x = \pm\sqrt{\frac{16}{25}} = \pm\frac{4}{5}$$

Como o arco é do 3º quadrante, temos:

$$\cos x = -\frac{4}{5}$$

Por fim, como sen (2a) = 2sen a · cos a, temos:

$$\operatorname{sen}(2x) = 2 \cdot \left(-\frac{3}{5}\right) \cdot \left(-\frac{4}{5}\right) \Rightarrow \operatorname{sen}(2x) = \frac{24}{25}$$

4.5.3 Arco metade

Sabemos que $\cos(2a) = 2\cos^2 a - 1$ e $\cos(2a) = 1 - 2\operatorname{sen}^2 a$. Vamos considerar 2a = x. Logo, temos:

$$\cos x = 2 \cdot \cos^2 \frac{x}{2} - 1$$

$$2\cos^2 \frac{x}{2} - 1 = \cos x$$

$$\cos^2 \frac{x}{2} = \frac{1 + \cos x}{2}$$

Por meio desse procedimento e outros semelhantes, podemos obter as equações de arco metade:

$$\cos \frac{x}{2} = \pm\sqrt{\frac{1 + \cos x}{2}}$$

$$\operatorname{sen} \frac{x}{2} = \pm\sqrt{\frac{1 - \cos x}{2}}$$

$$\operatorname{tg} \frac{x}{2} = \pm\sqrt{\frac{1 - \cos x}{1 + \cos x}}$$

Exemplo 4.17

Dado $\cos 45° = \dfrac{\sqrt{2}}{2}$, determine tg $22°30'$.

Solução

Para encontrarmos o valor desejado, devemos realizar o seguinte cálculo:

$$\operatorname{tg} 22°30' = \operatorname{tg}\left(\frac{45°}{2}\right) \pm \sqrt{\frac{1 - \cos 45°}{1 + \cos 45°}}$$

Como o ângulo de $22°30'$ é do 1º quadrante, temos:

$$\operatorname{tg} 22°30' = \sqrt{\frac{1 - \frac{\sqrt{2}}{2}}{1 + \frac{\sqrt{2}}{2}}} = \sqrt{\frac{\frac{2-\sqrt{2}}{2}}{\frac{2+\sqrt{2}}{2}}} = \sqrt{\frac{2-\sqrt{2}}{2} \cdot \frac{2}{2+\sqrt{2}}}$$

$$\operatorname{tg} 22°30' = \sqrt{\frac{2-\sqrt{2}}{2+\sqrt{2}}}$$

4.5.4 Transformação de soma em produto

Com base no que vimos até o momento, podemos deduzir as seguintes fórmulas:

sen (a + b) = sen a · cos b + sen b · cos a	(I)
sen (a − b) = sen a · cos b − sen b · cos a	(II)
cos (a + b) = cos a · cos b + sen a · sen b	(III)
cos (a − b) = cos a · cos b + sen a · sen b	(IV)

Assim, temos:

(I) + (II) = sen (a + b) + sen (a − b) = 2sen a · cos b
(I) − (II) = sen (a + b) − sen (a − b) = 2 sen b · cos a
(III) + (IV) = cos (a + b) + cos (a − b) = 2cos a · cos b
(III) − (IV) = cos (a + b) − cos (a − b) = −2sen a · sen b

Vamos considerar $a + b = p$ e $a - b = q$, então $a = \dfrac{p+q}{2}$ e $b = \dfrac{p-q}{2}$. Desse modo, temos:

$$\operatorname{sen} p + \operatorname{sen} q = 2\operatorname{sen}\left(\frac{p+q}{2}\right) \cdot \cos\left(\frac{p-q}{2}\right)$$

$$\operatorname{sen} p - \operatorname{sen} q = 2\operatorname{sen}\left(\frac{p-q}{2}\right) \cdot \cos\left(\frac{p+q}{2}\right)$$

$$\cos p + \cos q = 2\cos\left(\frac{p+q}{2}\right) \cdot \cos\left(\frac{p-q}{2}\right)$$

$$\cos p - \cos q = -2\text{sen}\left(\frac{p+q}{2}\right) \cdot \text{sen}\left(\frac{p-q}{2}\right)$$

Podemos, ainda, obter a tangente:

$$\text{tg } p + \text{tg } q = \frac{\text{sen }(p+q)}{\cos p \cdot \cos q}$$

Exemplo 4.18

Transforme a soma sen 6x + sen 2x em produto.

Solução

Para o seno, devemos usar a transformação de soma em produto.

Primeiro, identificamos quem é p e quem é q.

$p = 6x \qquad q = 2x$

Ao substituirmos na transformação, teremos:

$$\text{sen }(p+q) = 2\text{sen}\left(\frac{6x+2}{2}\right)\cos\left(\frac{6x-2x}{2}\right)$$

sen 6x + sen 2x = 2sen 4x cos 2x

SÍNTESE

Neste capítulo, estudamos a trigonometria no ciclo trigonométrico.

Vimos que, no ciclo trigonométrico, podemos ter ângulos em graus ou radianos e que, para fazer as devidas transformações, consideramos o valor de π como 180°.

Também abordamos que, na circunferência trigonométrica, existem arcos côngruos se consideramos mais de uma volta completa.

Tratamos dos ângulos simétricos, que nos auxiliam no cálculo de seno, cosseno e tangente de valores diferentes dos ângulos notáveis. Vimos também algumas relações e transformações trigonométricas para nos auxiliar no cálculo de seno, cosseno e tangente.

Você pode aprofundar seus estudos pesquisando sobre as funções trigonométricas, que não foram exploradas neste capítulo.

Atividades de autoavaliação

1) Determine o valor da expressão:

    $\cos 120° + \text{sen } 330° - \text{tg } 225° - \cos 90°$

    Agora, marque a alternativa que apresenta o resultado encontrado.

    a. –1
    b. 1
    c. –2
    d. 2
    e. –0,5

2) O valor de cotg de 135° é:

    a. 1
    b. 3
    c. –1
    d. –3
    e. $\dfrac{1}{2}$

3) Um relógio marca que faltam 20 minutos para o meio-dia. Então, o menor ângulo formado pelos ponteiros das horas e dos minutos é:

    a. 90°
    b. 100°
    c. 110°
    d. 115°
    e. 125°

4) Qual o valor do seno de 150°?

    a. 0,5
    b. –0,5
    c. 1
    d. –1
    e. 0

5) Segundo o ciclo trigonométrico, todos os ângulos podem ser reduzidos ao 1º quadrante. Observe:

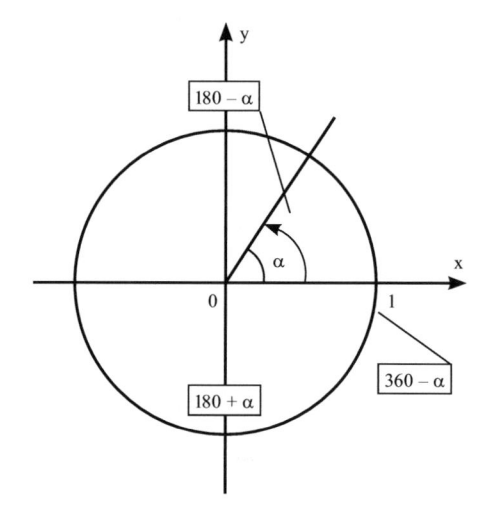

Os ângulos simétricos a 10° no 2° e 3° quadrantes são, respectivamente:

a. 90° e 180°
b. 170° e 190°
c. 190° e 210°
d. 190° e 350°
e. 170° e 350°

6) O ângulo de 1 200° é um ângulo côngruo a:

a. 720°
b. 300°
c. 360°
d. 120°
e. 1 500°

7) Se transformarmos $\dfrac{5\pi}{3}$ rad em graus, obteremos:

a. 30°
b. 150°
c. 270°
d. 300°
e. 330°

8) Ao calcularmos sen 15°, obteremos:

   a. $\dfrac{\sqrt{2}}{2}$

   b. $\dfrac{1}{2}$

   c. $\dfrac{\sqrt{6}+\sqrt{2}}{4}$

   d. $\dfrac{\sqrt{6}-\sqrt{2}}{4}$

   e. $\dfrac{\sqrt{3}-\sqrt{2}}{4}$

9) A solução da equação $\operatorname{sen} x = -\dfrac{\sqrt{2}}{2}$ é:

   a. $S = \left\{x \in \mathbb{R} : x = \dfrac{5\pi}{4} + 2k\pi \text{ ou } x = \dfrac{7\pi}{4} + 2k\pi, \ k \in \mathbb{Z}\right\}$

   b. $S = \left\{x \in \mathbb{R} : x = \dfrac{\pi}{4} + 2k\pi \text{ ou } x = \dfrac{7\pi}{4} + 2k\pi, \ k \in \mathbb{Z}\right\}$

   c. $S = \left\{x \in \mathbb{R} : x = \pm\dfrac{5\pi}{4} + 2k\pi\right\}$

   d. $S = \left\{x \in \mathbb{R} : x = \dfrac{\pi}{6} + k\pi, \ k \in \mathbb{Z}\right\}$

   e. $S = \left\{x \in \mathbb{R} : 0 \leq x < \dfrac{\pi}{3} \text{ ou } \dfrac{2\pi}{3} < x < 2\pi\right\}$

10) Se tg x = cos x, o valor de sen x é:

    a. $\sqrt{3} + \dfrac{1}{2}$

    b. $\dfrac{1-\sqrt{3}}{3}$

    c. $\dfrac{\sqrt{5}-1}{2}$

    d. $\dfrac{1}{2}$

    e. $\dfrac{\sqrt{3}}{2}$

Atividades de aprendizagem

1) Transforme em graus as seguintes medidas de arcos:

   a. $\dfrac{3\pi}{4}$

   b. $\dfrac{7\pi}{6}$

   c. $-\dfrac{\pi}{6}$

   d. $\dfrac{16\pi}{3}$

2) Transforme em radianos as seguintes medidas de arcos:

   a. 30°
   b. 300°
   c. 60°
   d. 135°
   e. 330°

3) Complete, nas figuras, as medidas dos arcos trigonométricos correspondentes.

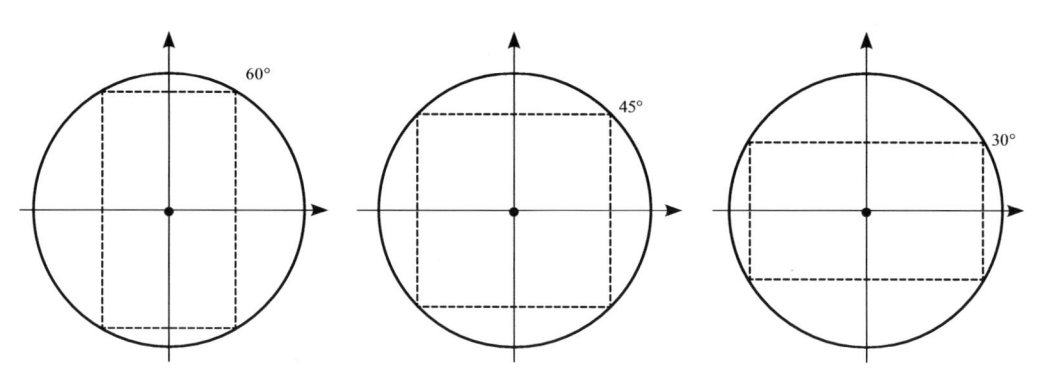

4) Quais os menores valores não negativos côngruos aos arcos a seguir?

   a. 1 125°
   b. 1 035°
   c. 410°

5) Sabendo que x é um arco do 1º quadrante e que sen x = 0,8, determine cos x e tg x.

6) Calcule o valor de:

   a. sen 150°
   b. sen 120°
   c. sen 300°
   d. sen 270°

7) Calcule o valor de:

   a. cos 150°
   b. cos 120°
   c. cos 300°
   d. cos 270°

8) Calcule o valor de:

   a. tg 150°
   b. tg 120°
   c. tg 300°
   d. tg 270°

9) Ana está em um parque e resolve ir em uma roda-gigante. Em seu celular, tem um aplicativo que mede ângulos. Em certo momento, ela nota que já rodou 1 000°. Em que posição da roda-gigante ela se encontra?

10) Qual o valor do cosseno de $\dfrac{\pi}{6}$ rad?

11) Resolva a equação $\cos x = \dfrac{\sqrt{2}}{2}$.

12) Resolva a equação $\operatorname{tg} x = \dfrac{\sqrt{3}}{3}$.

13) Resolva a equação $\operatorname{sen} x < \dfrac{\sqrt{3}}{2}$ para $0 \leq x < 2\pi$.

Taniele Loss
Ana Paula de Andrade Janz Elias

5
Geometria plana

A geometria plana é uma ramificação da matemática que estuda figuras bidimensionais. Existem algumas especificidades dessas figuras que devem ser assimiladas pelos estudantes desde a educação básica e aprofundadas no ensino superior. O estudo das figuras planas auxilia na compreensão de algumas situações que vivenciamos em nosso cotidiano, como a elaboração de maquetes ou a medida de terrenos, por exemplo.

Assim, neste capítulo, abordaremos quadriláteros notáveis; polígonos regulares; circunferência (inscrita e circunscrita a polígonos regulares); perímetro e área de figuras planas. Porém, antes de entrarmos nesses assuntos, conheceremos o conceito de polígono.

5.1 Conceito de polígono

Uma figura fechada, formada pela união de segmentos de reta, é denominada *polígono*. Esses segmentos cruzam-se apenas em suas extremidades e são os lados do polígono que formam.

Os vértices, os ângulos, os lados e as diagonais são elementos presentes em um polígono. É possível classificarmos um polígono conforme a quantidade de lados. Confira no Quadro 5.1 a seguir os nomes dos polígonos de até 10 lados.

Quadro 5.1 – Nomes dos polígonos conforme o número de lados

Polígono	Quantidade de Lados
Triângulo	3
Quadrilátero	4
Pentágono	5
Hexágono	6
Heptágono	7
Octógono	8
Eneágono	9
Decágono	10

5.2 Quadriláteros notáveis

Conforme verificamos no Quadro 5.1, um polígono que tem quatro lados é denominado *quadrilátero*. Todo quadrilátero tem duas diagonais, e a soma dos seus ângulos internos é igual a 360°.

Existem os **quadriláteros notáveis convexos**, que têm pelo menos dois lados paralelos, são eles: trapézio; paralelogramo; retângulo; losango e quadrado.

5.2.1 Trapézio

Pode ser classificado em trapézio escaleno, trapézio isósceles e trapézio retângulo.

O **trapézio escaleno** tem um par de lados paralelos (denominados de *base*) e os outros dois lados diferentes um do outro, conforme mostra a Figura 5.1 a seguir.

Figura 5.1 – Trapézio escaleno

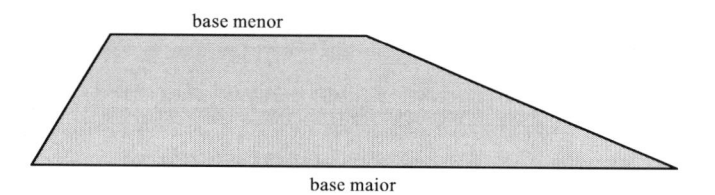

O **trapézio isósceles** também tem um par de lados paralelos (bases) e os outros dois lados congruentes entre si. Nele, os ângulos de cada base são congruentes entre si e suas diagonais também são congruentes. É possível percebermos isso na Figura 5.2 a seguir.

Figura 5.2 – Trapézio isósceles

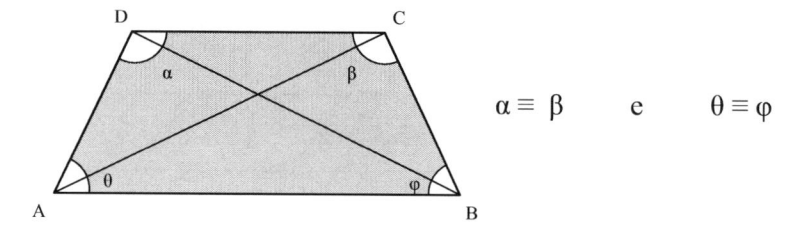

$\alpha \equiv \beta$ e $\theta \equiv \varphi$

O **trapézio retângulo** também tem um par de lados paralelos (bases) e um dos outros lados perpendicular às bases, conforme mostra a Figura 5.3 a seguir.

Figura 5.3 – Trapézio retângulo

Exemplo 5.1

Um homem resolveu dividir entre seus dois filhos um terreno que tinha como propriedade. Ele queria que a divisão fosse igualitária e que cada um ficasse com a metade da área do terreno. Ao fazer o esboço da divisão da propriedade, sem levar em consideração as medidas do terreno, o proprietário traçou uma semirreta que passava pelos pontos médios de cada um dos dois lados, paralelos entre si, e assim transformou a figura inicial em dois trapézios retângulos. Com essas informações, podemos afirmar que o terreno tem formato inicial de qual figura geométrica?

Solução

É possível afirmar que o terreno, antes da divisão, tinha o formato de um trapézio isósceles, conforme é apresentado na imagem seguinte.

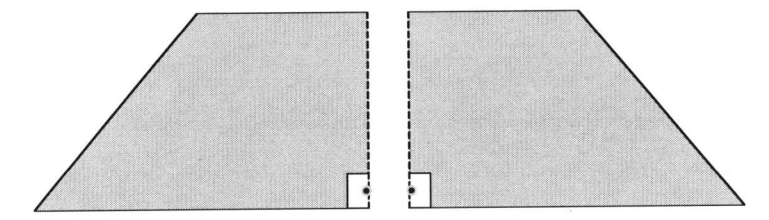

5.2.2 Paralelogramo

Tem dois pares de lados opostos, os quais são paralelos e congruentes. Os ângulos internos, que são opostos, são congruentes. A soma dos ângulos adjacentes é igual a 180°, ou seja, os ângulos adjacentes são suplementares. As diagonais se interceptam no ponto denominado *ponto médio*. Observe a Figura 5.4 a seguir, que apresenta um exemplo de paralelogramo.

Figura 5.4 – Paralelogramo

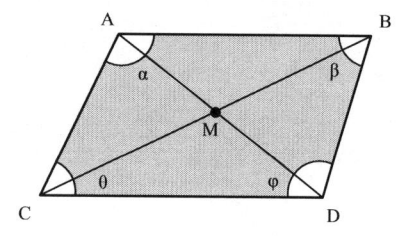

$A \equiv B$ e $C \equiv D$
$\theta \equiv \beta$ e $\alpha \equiv \varphi$
$\alpha + \beta = 180°$ e $\alpha + \theta = 180°$
$\beta + \varphi = 180°$ e $\varphi + \theta = 180°$

Exemplo 5.2

Dado o paralelogramo a seguir, identifique todos os valores dos ângulos internos.

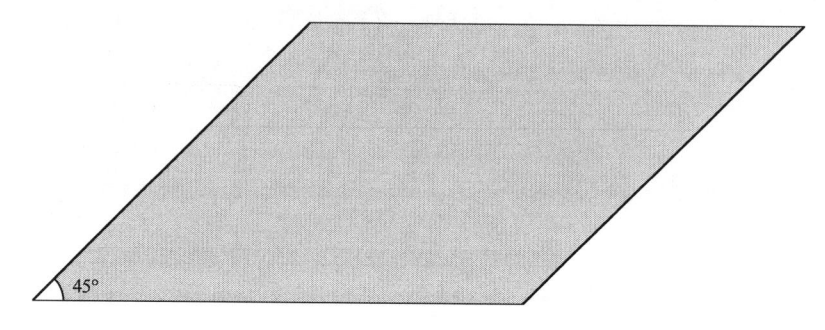

Solução

Se a soma dos ângulos adjacentes de um paralelogramo é igual a 180°, devemos realizar a subtração:

$$180° - 45° = 135°$$

Como os ângulos internos opostos são congruentes, é possível redesenhar a imagem com a medida de todos os seus ângulos internos:

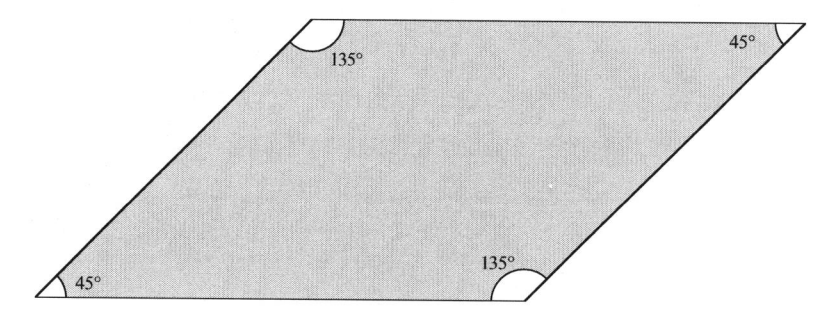

5.2.3 Retângulo

Tem dois pares de lados paralelos, assim como o paralelogramo, porém todos os ângulos internos de um retângulo medem 90°, ou seja, todos os seus ângulos são retos. As diagonais do retângulo são congruentes.

Figura 5.5 – Retângulo

Exemplo 5.3

Considere a superfície superior de uma piscina retangular, como mostra a imagem seguinte.

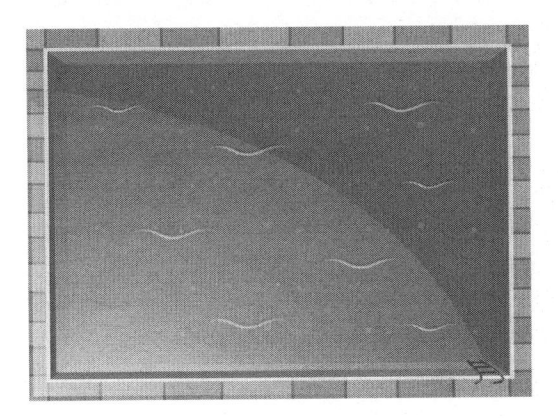

Em quais posições devem ser colocados dois flutuadores (espaguetes) a fim de obter, nessa superfície, dois pares de triângulos congruentes?

Solução

Os dois flutuadores devem ser postos nas posições das diagonais do retângulo. Dessa forma, teremos os dois pares de triângulos congruentes solicitados, como apresentado na imagem a seguir.

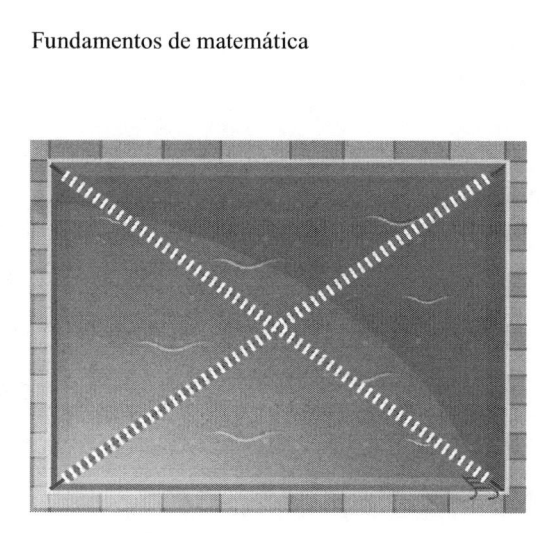

5.2.4 Losango

O losango tem todos os lados com o mesmo comprimento e dois pares de lados paralelos, por esse motivo pode ser considerado um paralelogramo. As diagonais são perpendiculares e dividem a figura em quatro triângulos retângulos que são congruentes.

Figura 5.6 – Losango

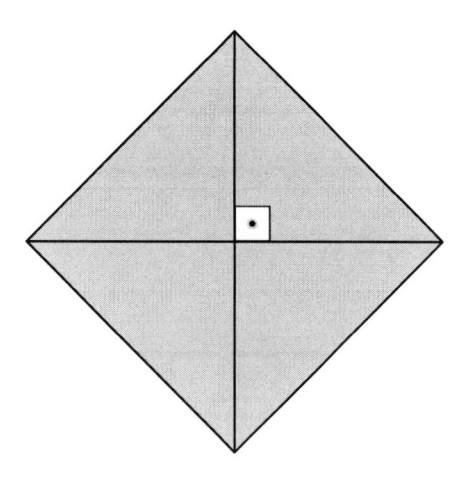

Exemplo 5.4

Considere um bolo em formato de um quadrilátero regular. Ao cortá-lo conforme suas diagonais, obtemos quatro triângulos congruentes. Com base nessa informação, responda: esse bolo corresponde a qual quadrilátero?

Solução

O bolo pode ter o formato de quadrado ou losango, pois, ao traçarmos suas diagonais, obtemos quatro triângulos com lados e ângulos internos congruentes.

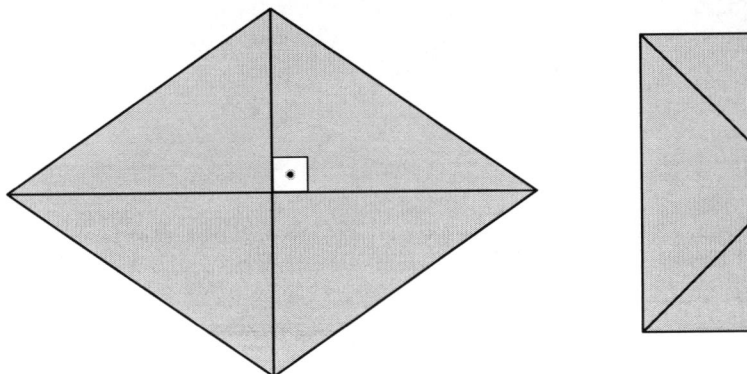

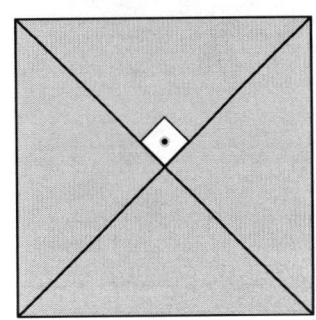

5.2.5 Quadrado

Tem dois pares de lados paralelos e todos os lados com comprimentos iguais. Todos os seus ângulos internos medem 90°, ou seja, são retos.

Figura 5.7 – Quadrado

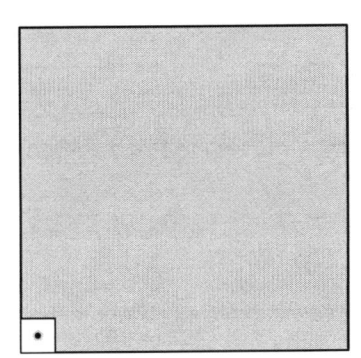

Exemplo 5.5

Considere um tapete quadrangular. Ao traçarmos uma de suas diagonais, obtemos dois tapetes com o formato triangular (ambos congruentes). Se observarmos as medidas dos ângulos internos do tapete triangular, qual é a classificação do triângulo obtido?

Solução

O triângulo obtido é classificado como *triângulo retângulo*, pois possui um ângulo reto, conforme apresentado na imagem a seguir.

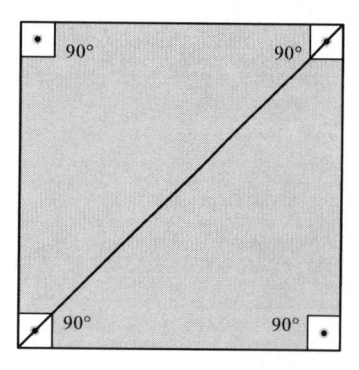

5.3 Polígonos regulares

Todo polígono que possui todos os seus lados com a mesma medida é um polígono equilátero. E todo polígono que possui todos os seus ângulos congruentes é um polígono equiângulo.

Um polígono convexo que é equilátero e também equiângulo é denominado *polígono regular*. Observe alguns exemplos na Figura 5.8 a seguir.

Figura 5.8 – Polígonos regulares

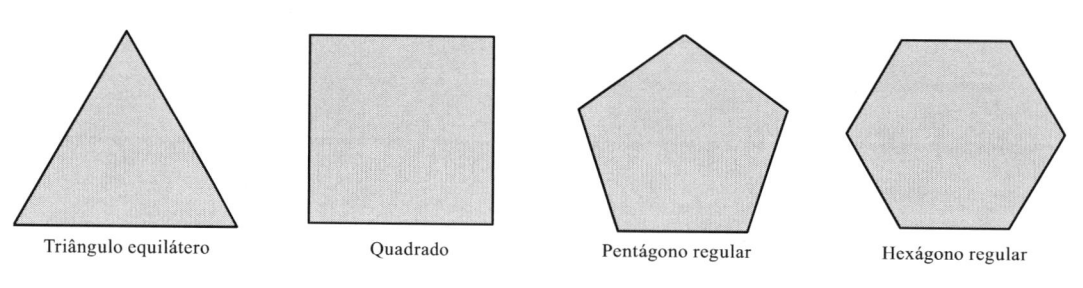

Triângulo equilátero   Quadrado   Pentágono regular   Hexágono regular

Cada polígono regular tem o número de lados igual ao número de vértices e igual ao número de ângulos. Para calcularmos o valor dos ângulos internos de um polígono regular, devemos observar o número de lados que ele tem e utilizar a seguinte fórmula:

$$â = \frac{180° \cdot (n-2)}{n}$$

Na fórmula anterior, consideramos n o número de lados do polígono e $â$ o valor do ângulo interno. Para encontrarmos o ângulo externo de um polígono regular, fazemos uso de outra fórmula:

$$ê = \frac{360°}{n}$$

Nessa fórmula, n também é o número de lados de um polígono e $ê$, o valor do ângulo externo desse polígono.

Figura 5.9 – Polígono com ângulos internos e externos

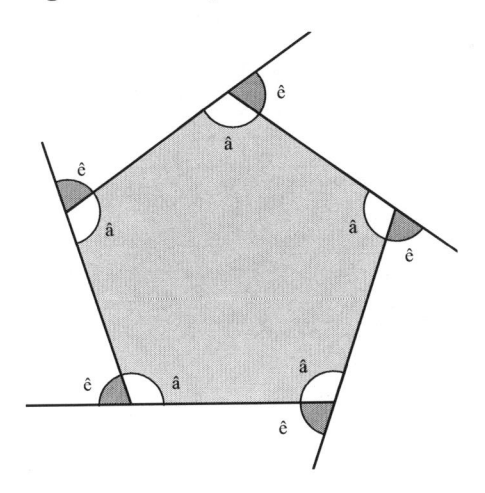

A soma de cada ângulo interno com o seu adjacente externo é igual a 180°, ou seja, são ângulos suplementares. Podemos escrever a soma da seguinte maneira: $â + ê = 180°$.

Ao traçarmos as diagonais de um polígono regular com número ímpar de lados, nenhuma delas passará pelo centro desse polígono. Já se um polígono regular tem número par de lados, o número de diagonais que passa pelo centro é dado pela fração $\frac{n}{2}$, na qual n é o número de lados desse polígono.

Exemplo 5.6

A imagem ao lado mostra a sede do Departamento de Defesa dos Estados Unidos, conhecida como *Pentágono*, pois tem o formato de um pentágono regular. Qual é a medida dos ângulos internos do polígono que forma esse departamento estadunidense?

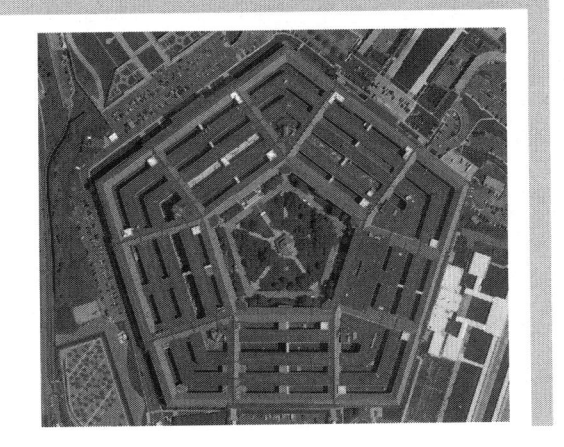

■ Solução

O pentágono possui 5 lados. Se utilizarmos a fórmula dos ângulos internos de um polígono regular, fazendo n = 5, teremos:

$$â = \frac{180° \cdot (n-2)}{n} = \frac{180° \cdot (5-2)}{5} = \frac{180° \cdot 3}{5} = \frac{540°}{5} = 108°$$

Portanto, o pentágono possui 5 ângulos internos de 108° cada um.

Exemplo 5.7

Os favos de mel apresentam o formato de hexágono. Dessa forma, há um maior armazenamento de mel com o menor gasto de cera.

Observe a imagem ao lado e considere os hexágonos como regulares. Calcule a medida dos ângulos externos desses hexágonos.

■ Solução

O hexágono apresenta 6 lados congruentes, assim n = 6. Ao fazermos a substituição na fórmula do ângulo externo de um polígono regular, temos:

$$ê = \frac{360°}{n} = \frac{360°}{6} = 60°$$

Portanto, cada ângulo externo do hexágono mede 60°.

5.4 Circunferência – circunferência inscrita e circunscrita a polígonos regulares

A circunferência é uma figura geométrica formada por todos os pontos que estão a uma mesma distância de um ponto fixo. A distância é chamada de *raio* e o ponto fixo, de *centro*. Vejamos mais alguns elementos da circunferência a seguir.

- Corda: segmento entre dois pontos distintos da circunferência.
- Diâmetro: a maior corda da circunferência e a que passa pelo centro desta. A medida do diâmetro é o dobro da medida do raio.
- Arco: conjunto de pontos sobre a circunferência entre dois extremos.
- Círculo: região compreendida pela circunferência.

Para esclarecermos, vamos analisar os elementos na circunferência seguinte.

Figura 5.10 – Elementos da circunferência

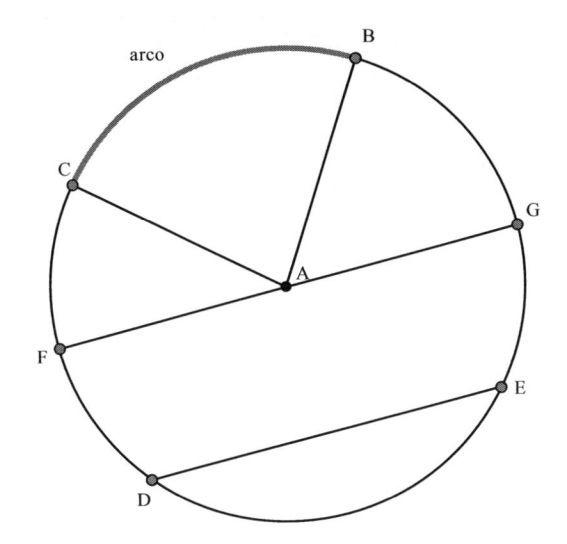

Os segmentos $\overline{AB}$, $\overline{AC}$, $\overline{AF}$ e $\overline{AG}$ representam raios na circunferência. Todos têm a mesma medida.

O segmento $\overline{DE}$ é uma corda.

O segmento $\overline{FG}$ também é uma corda, mas recebe o nome especial de *diâmetro*, pois contém o centro (ou passa pelo centro).

O ponto A representa o centro da circunferência.

Os pontos da circunferência que ligam os extremos B e C são chamados de *arco* $\overgroup{BC}$.

Em uma circunferência, dois pontos definem dois possíveis arcos. Na Figura 5.11 ao lado, podemos perceber um arco na parte inferior e outro na parte superior da circunferência.

Figura 5.11 – Dois arcos em uma mesma circunferência

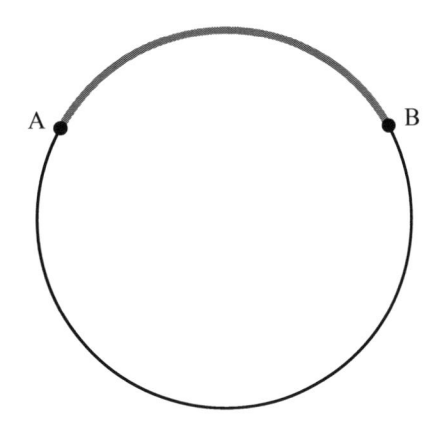

Quando especificamos um determinado arco, são definidos ângulos, que podem ser: central, inscrito ou de segmento.

O **ângulo central** tem seu vértice no centro da circunferência. A medida do ângulo central é igual à medida do arco que o definiu. Observe a Figura 5.12 ao lado.

Figura 5.12 – Medida do ângulo central e seu respectivo arco

O **ângulo inscrito** tem o vértice na circunferência, seus lados são secantes a ela e sua medida corresponde à metade da medida do arco especificado (ou metade da medida do ângulo central). Observe a Figura 5.13 ao lado.

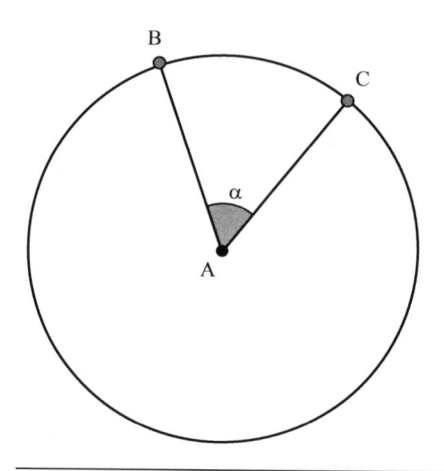

Figura 5.13 – Medida do ângulo inscrito e seu respectivo arco

O **ângulo de segmento** tem seu vértice na circunferência, um dos lados secante e o outro tangente. Sua medida corresponde à metade da medida do arco que une os pontos da circunferência contidos no lado do ângulo secante à circunferência (ou metade da medida do ângulo central). Observe a Figura 5.14 ao lado.

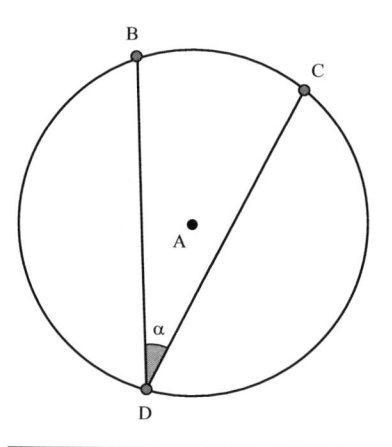

Figura 5.14 – Medidas do ângulo de segmento

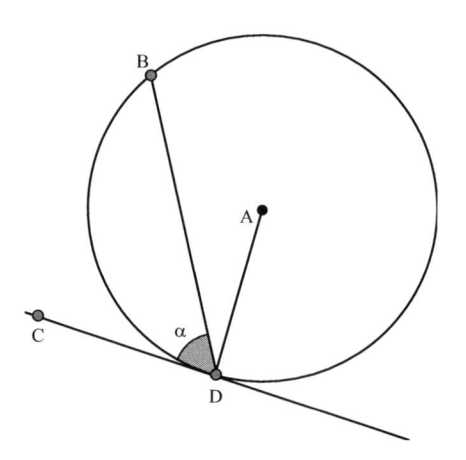

Uma reta que tenha apenas um ponto em comum com a circunferência é chamada de *reta tangente*. Toda reta tangente a uma circunferência é perpendicular ao raio no ponto de tangência. Se tivermos um ponto P externo à circunferência, podemos traçar segmentos perpendiculares à circunferência: $\overline{PQ}$ e $\overline{PR}$, de modo que $\overline{PQ} = \overline{PR}$. Confira a Figura 5.15 a seguir.

Figura 5.15 – Segmentos tangentes à circunferência

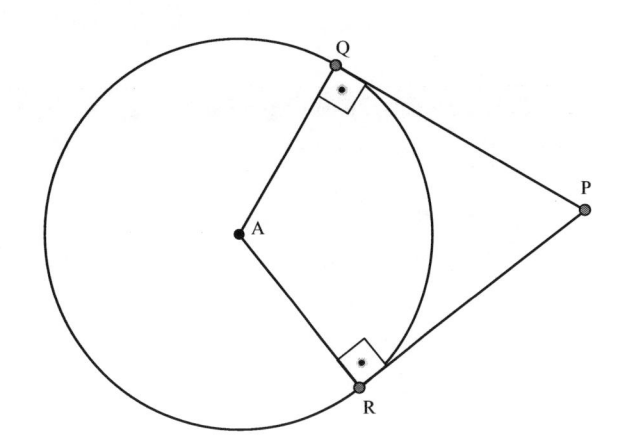

Exemplo 5.8

Determine o valor do ângulo x para os casos seguintes.

a.

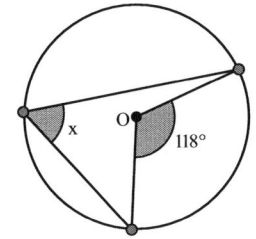

b.

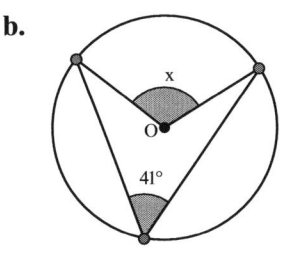

c.

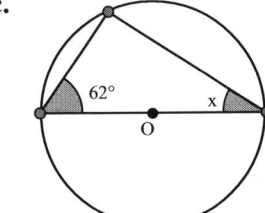

d.

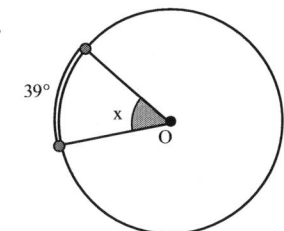

Solução

a) Como x é um ângulo inscrito, sua medida será a metade do ângulo central; nesse caso, $x = 59°$.

b) Temos o ângulo inscrito de 41°. O ângulo central deve medir o dobro, logo, $x = 82°$.

c) Temos um triângulo de ângulos 62°, x e um terceiro que chamaremos de a.
O ângulo a está inscrito na circunferência, e o arco que o definiu corresponde à metade da circunferência, ou seja, mede 180°. Assim, $a = 90°$. Se a soma dos ângulos de um triângulo deve ser 180°, teremos $62° + 90° + x = 180°$. Portanto, $x = 28°$.

d) O ângulo x é central, assim sua medida é a mesma do arco, logo, $x = 39°$.

Agora que conhecemos mais sobre as circunferências, vamos analisar a relação delas com os polígonos. Os polígonos regulares podem se apresentar inscritos ou circunscritos em uma circunferência. Primeiramente, vamos verificar os polígonos inscritos.

5.4.1 Polígono inscrito e circunferência circunscrita

Se cada vértice de um polígono regular dado faz parte de uma única circunferência, dizemos que esse polígono é inscrito a ela ou, ainda, que a circunferência, a qual possui todos os vértices do polígono, é circunscrita ao polígono.

Figura 5.16 – Pentágono inscrito na circunferência

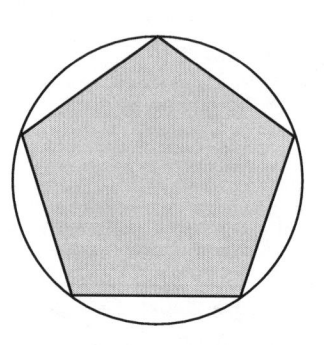

O centro de um polígono regular inscrito em uma circunferência é também o centro da circunferência dada. Ao traçarmos o ângulo central, podemos calcular a medida dele por meio da mesma fórmula utilizada para calcular o ângulo externo desse polígono regular, ou seja:

$$\hat{a}c = \frac{360°}{n}$$

Observe a Figura 5.17 ao lado.

Figura 5.17 – Ângulo central do pentágono inscrito na circunferência

Ao traçarmos um segmento de reta com origem no centro do polígono regular de maneira que ela forme um ângulo de 90° a um dos lados desse polígono, estamos traçando o apótema do polígono. Veja a Figura 5.18 ao lado.

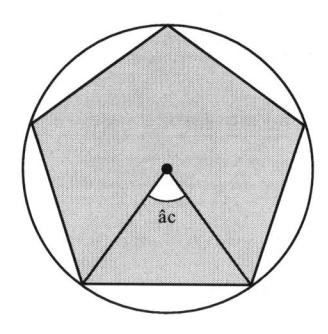

Figura 5.18 – Apótema do polígono

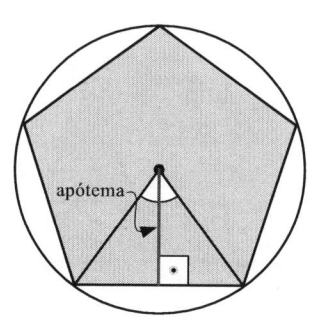

Exemplo 5.9

Um quadrado inscrito em uma circunferência tem lado que mede 6 cm. Calcule a medida do apótema do quadrado (a) e o raio da circunferência (R).

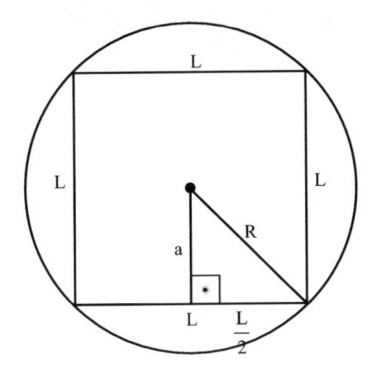

Solução

Se representarmos tal situação, destacaremos os lados do quadrado (L), o raio da circunferência (R) e o apótema do quadrado (a).

Observamos que o apótema do quadrado corresponde à metade do lado do quadrado, logo, vale 3 cm.

Agora, para calcularmos o raio da circunferência, podemos aplicar o teorema de Pitágoras no seguinte triângulo retângulo:

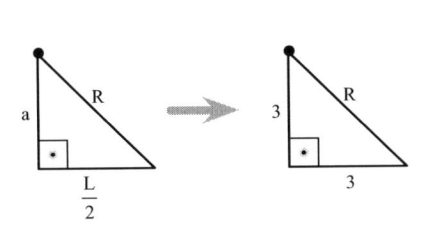

$$R^2 = 3^2 + 3^2$$
$$R^2 = 9 + 9$$
$$R^2 = 18$$
$$\sqrt{R^2} = \sqrt{18}$$
$$R = \sqrt{2 \cdot 9}$$
$$R = 3\sqrt{2} \text{ cm}$$

5.4.2 Polígono circunscrito e circunferência inscrita

Existe uma circunferência inscrita em cada polígono regular, ou seja, cada polígono regular é circunscrito a uma única circunferência.

Figura 5.19 – Circunferência inscrita em um polígono

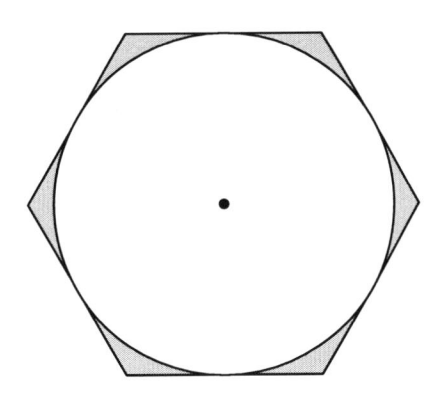

O centro do polígono regular circunscrito a uma circunferência é também o centro da circunferência dada. Assim, as circunferências que são inscritas e circunscritas a um polígono regular são concêntricas.

Os lados do polígono regular são tangentes à circunferência inscrita a ele.

O apótema coincide com o raio da circunferência inscrita em um polígono regular, como mostra a Figura 5.20 ao lado.

Figura 5.20 – Apótema de um hexágono circunscrito a uma circunferência

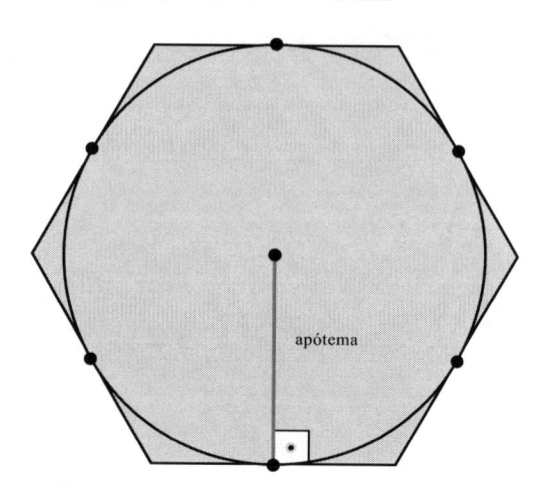

Exemplo 5.10

Um hexágono regular circunscrito em uma circunferência tem o lado L que vale 18 cm. Calcule o apótema do hexágono (a) e o raio (R) da circunferência circunscrita a ele. Adote os seguintes valores:

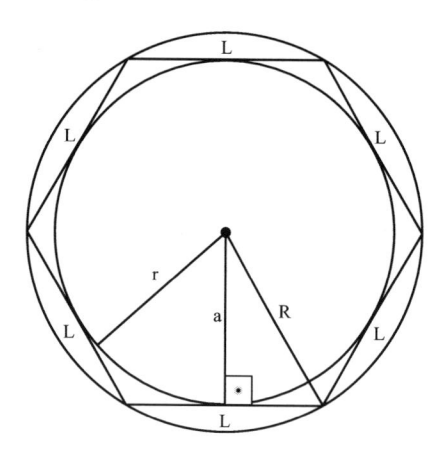

Perímetro: $P = 6L$

Apótema: $a = \dfrac{L\sqrt{3}}{2}$

Raio da circunferência inscrita: $r = \dfrac{L\sqrt{3}}{2}$

Raio da circunferência circunscrita: $R = L$

Solução

Por definição, em uma circunferência inscrita em um polígono regular, o apótema do polígono (a) equivale ao raio da circunferência inscrita (r). Logo, a = r.

Segundo as informações do exemplo, a medida do lado do hexágono equivale a 18 cm, isto é, L = 18. Se aplicarmos a fórmula para o apótema, teremos:

$$a = \frac{L\sqrt{3}}{2} = \frac{18\sqrt{3}}{2} = 9\sqrt{3} \text{ cm}$$

Agora, vamos aplicar o teorema de Pitágoras no triângulo retângulo seguinte para obtermos o valor do raio (R) da circunferência circunscrita ao hexágono.

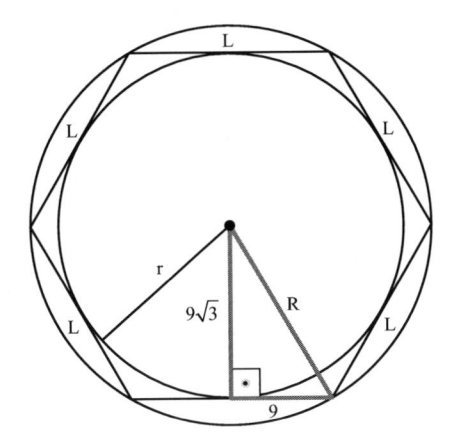

$R^2 = (9\sqrt{3})^2 + 9^2$

$R^2 = 81 \cdot 3 + 81$

$R^2 = 243 + 81$

$R^2 = 324$

$R = \sqrt{324}$

$R = 18$ cm

Fique Atento!

Observe que a medida do raio (R) da circunferência circunscrita ao hexágono regular é igual à medida do lado (L) desse polígono. Portanto, ao decompormos tal polígono, obteremos 6 triângulos equiláteros congruentes.

5.5 Perímetro de figuras planas

O perímetro é a medida do comprimento das somas dos lados de um polígono, ou seja, é a medida do comprimento do contorno de uma figura plana.

Algumas particularidades podem ser verificadas em certas figuras planas. No quadrado, por exemplo, o perímetro é dado pelo quádruplo da medida de seu lado. Já a circunferência não possui lados cujas medidas possam ser somadas. Nesse caso, a relação entre o perímetro, que representa o comprimento do contorno, e o raio da circunferência é dada por:

$C = 2\pi r$

Confira os Exemplos 5.11, 5.12 e 5.13 a seguir que apresentam algumas situações que requerem o cálculo de perímetro.

Exemplo 5.11

A praça de uma cidade apresenta a forma de um quadrado. Calcule quantos metros de corda devem ser gastos a fim de cercar a praça para uma festa, sabendo que ela tem 40 m de lado e que se deseja dar 4 voltas com a corda.

Solução

Uma volta completa de corda corresponde ao perímetro do quadrado. Assim, $4 \cdot 40 = 160$ m. Como deseja-se dar 4 voltas, precisaremos multiplicar $160 \cdot 4 = 640$ m.

Exemplo 5.12

Em uma sala quadrada, foram gastos 24,80 m de rodapé de madeira. Essa sala tem apenas uma porta de 1,20 m de largura. Considerando que não foi colocado rodapé na largura da porta, calcule a medida de cada lado dessa sala.

Solução

O perímetro da sala corresponde à soma de todos os lados, que equivale ao rodapé mais a largura da porta. Ou seja, o perímetro é $24,80 + 1,20 = 26$ m. Como a sala tem o formato quadrado, para saber o lado basta dividirmos 26 por 4. Portanto, a medida de cada lado é 6,5 m.

Exemplo 5.13

Uma praça circular tem 400 m de diâmetro. Quantos metros de grade serão necessários para cercá-la? (Use $\pi = 3,14$.)

Solução

Devemos calcular o comprimento da circunferência de raio 200 m (metade do valor do diâmetro):

$$C = 2\pi r = 2 \cdot 3,14 \cdot 200 = 1\,256 \text{ m}$$

5.6 Áreas de figuras planas

As figuras planas têm lados que podemos denominar *limites*. Assim, podemos pontuar que a área de uma figura plana é o tamanho da região interna dessa figura, ou seja, o tamanho que é limitado pelos seus lados.

A área de uma região limitada é sempre um número real positivo.

5.6.1 Área do retângulo

Ao denominarmos um dos lados do retângulo de *base* e o outro de *altura*, podemos afirmar que a área do retângulo é igual à multiplicação entre o valor do comprimento pelo valor da altura, ou seja:

$$A_r = \text{comprimento} \cdot \text{altura}$$

Figura 5.21 – Lados de um retângulo: comprimento da base e da altura

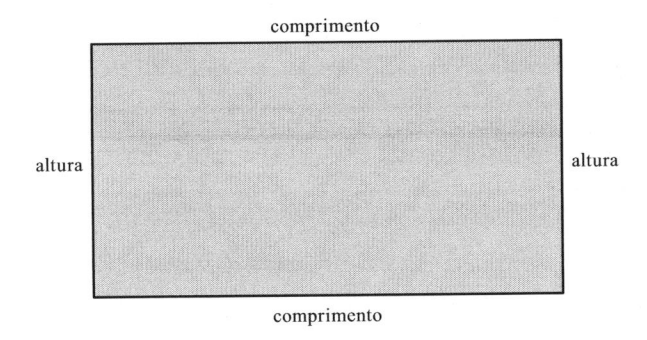

Exemplo 5.14

Observe a imagem do campo de futebol e responda: qual é sua área e seu perímetro?

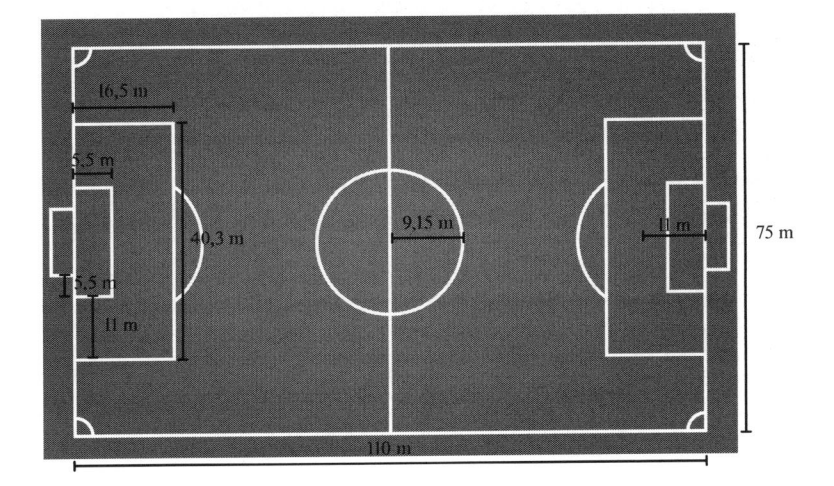

Solução

O campo de futebol tem comprimento de 110 m e altura 75 m. Para calcularmos sua área e seu perímetro, temos:

$$A_r = \text{comprimento} \cdot \text{altura} = 110 \cdot 75 = 8\,250 \text{ m}^2$$

Ao somarmos os quatro lados do campo de futebol, obteremos seu perímetro. Assim:

$$110 + 75 + 110 + 75 = 370 \text{ m}$$

5.6.2 Área do paralelogramo

Seja um paralelogramo com base b e altura h, o cálculo de sua área é dado pela multiplicação entre o valor da base e o valor da altura, ou seja:

$$A_p = \text{base} \cdot \text{altura}$$

Figura 5.22 – Representação da base e da altura do paralelogramo

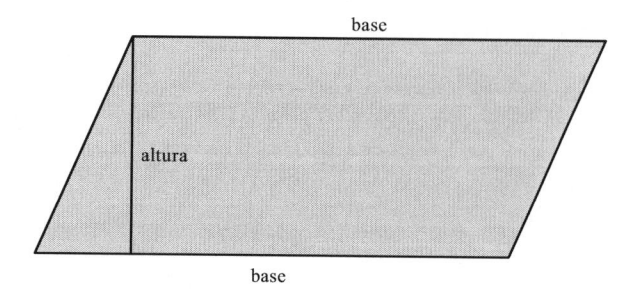

Exemplo 5.15

O *touchpad* de um determinado teclado de *notebook* tem o formato de um paralelogramo, conforme representado na imagem a seguir. Calcule a área e o perímetro desse polígono.

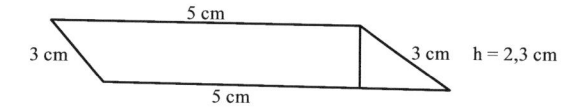

Solução

Segundo a figura, a base do paralelogramo mede 5 cm e a altura, 2,3 cm. Para calcularmos sua área, temos:

$$A_p = \text{base} \cdot \text{altura} = 5 \cdot 2{,}3 = 11{,}5 \text{ cm}^2$$

E o perímetro: $5 + 3 + 5 + 3 = 16$ cm

5.6.3 Área do triângulo

Dado um triângulo com a base b e a altura h, podemos calcular sua área da seguinte maneira:

$$A_t = \frac{\text{base} \cdot \text{altura}}{2}$$

Observe a Figura 5.23 a seguir.

Figura 5.23 – Identificação da base e da altura de um triângulo

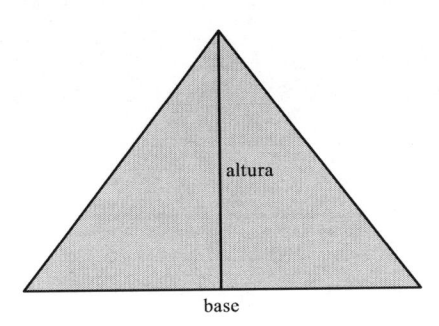

Exemplo 5.16

Na imagem seguinte, a intersecção da altura do prédio com a medida de sua sombra forma um triângulo retângulo. Se o comprimento da sombra corresponde a 12 m e a área desse triângulo equivale a 156 m², calcule a altura do prédio.

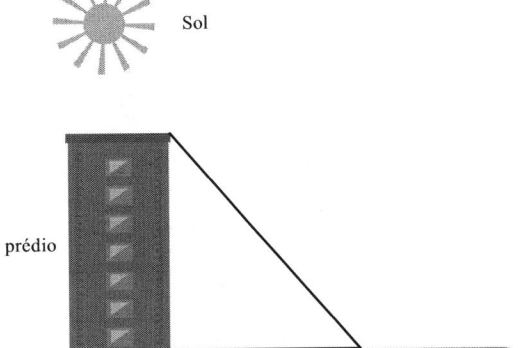

Solução

Na fórmula da área do triângulo, considere a altura como sendo a incógnita h. Ao aplicarmos os dados da figura, teremos:

$$A_t = \frac{base \cdot altura}{2}$$

$$156 = \frac{12 \cdot h}{2}$$

$$156 = 6 \cdot h$$

$$\frac{156}{6} = h$$

$$26 = h$$

Portanto, a altura do prédio equivale a 26 m.

5.6.4 Área do trapézio

Um trapézio tem duas bases com comprimentos diferentes. Sua área é dada pela soma das medidas dos comprimentos dessas duas bases, multiplicada pela altura do trapézio e depois dividida por 2, ou seja:

$$A_{tp} = \frac{(\text{base a} + \text{base b}) \cdot h}{2}$$

Observe a Figura 5.24 a seguir

Figura 5.24 – Representação das bases e da altura do trapézio

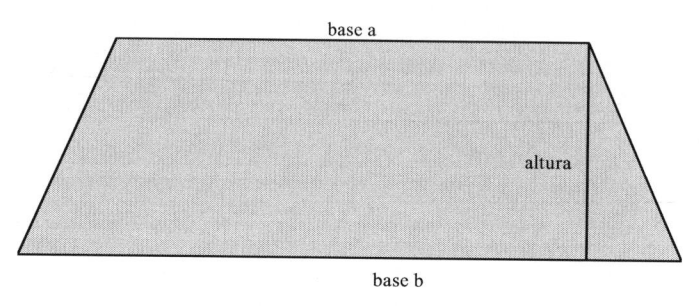

Exemplo 5.17

Um arquiteto projetou uma casa em formato de trapézio, como mostra a imagem a seguir. Observe a planta do imóvel e calcule a área e o perímetro.

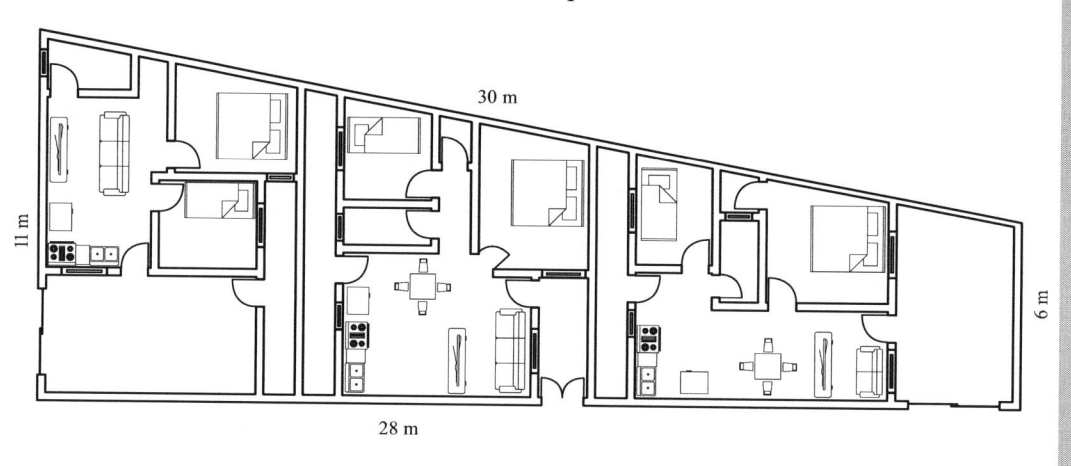

Solução

Segundo os dados da planta, a base menor (base *a*) vale 6 m, a base maior (base *b*) vale 11 m e a altura (h) equivale a 28 m. Se substituirmos esses valores na fórmula da área do trapézio, teremos:

$$A_{tp} = \frac{(\text{base a} + \text{base b}) \cdot h}{2} =$$
$$= \frac{(6+11) \cdot 28}{2} = \frac{17 \cdot 28}{2} = \frac{476}{2} = 238 \text{ m}^2$$

E o perímetro: $11 + 28 + 6 + 30 = 75$ m

Logo, a área dessa casa é de 238 m² e o perímetro é 75 m.

5.6.5 Área do losango

Para calcularmos a área de um losango, é preciso primeiramente traçarmos suas diagonais. Assim:

$$A_l = \frac{d_1 \cdot d_2}{2}$$

Observe a Figura 5.25 ao lado.

Figura 5.25 – Losango e suas diagonais

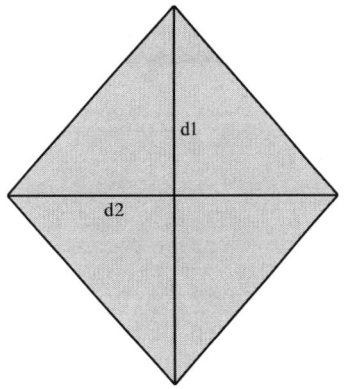

Exemplo 5.18

Uma empresa começará a fabricar espelhos decorativos em forma de losango com as seguintes medidas: diagonal maior de 44 cm e diagonal menor de 28 cm. Calcule a medida da área desse espelho.

Solução

Considere diagonal maior como $d_1 = 44$ e diagonal menor como $d_2 = 28$. Na fórmula da área do losango, obtemos:

$$A_l = \frac{d_1 \cdot d_2}{2} = \frac{44 \cdot 28}{2} = 616$$

Portanto, a área do espelho é de 616 cm².

5.6.6 Área do círculo

Para calcularmos a área do círculo, é necessário conhecermos o raio. Logo:

$$A_c = \pi \cdot r^2$$

Observe a Figura 5.26 ao lado.

Figura 5.26 – Representação do raio em um círculo

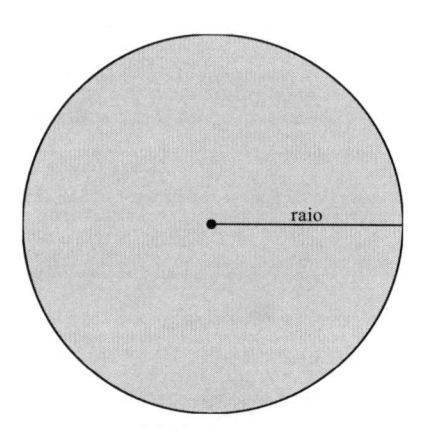

Exemplo 5.19

Uma lata de leite condensado possui 8 cm de altura e 6 cm de diâmetro, conforme a imagem ao lado. Como a base dessa lata corresponde a um círculo, calcule a área. Considere $\pi = 3{,}14$.

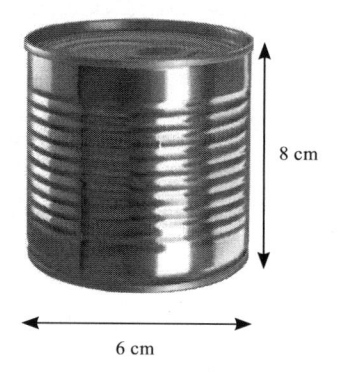

Solução

Como o diâmetro do círculo vale 6 cm, seu raio mede 3 cm. Na fórmula da área do círculo, temos:

$$A_c = \pi \cdot r^2 = 3{,}14 \cdot 3^2 = 3{,}14 \cdot 9 = 28{,}26 \text{ cm}^2$$

Portanto, a área do círculo da base da lata de leite condensado mede 28,26 cm².

Síntese

Neste capítulo, vimos o que são polígonos e, assim, pudemos reconhecer os quadriláteros notáveis para estudarmos os polígonos regulares. Ainda abordamos circunferência inscrita e circunscrita a polígonos regulares.

Tratamos do cálculo do perímetro de figuras planas, bem como do cálculo de suas áreas.

Por fim, abordamos o cálculo da área do círculo. Em diferentes momentos, ao longo do capítulo, pudemos nos deparar com situações práticas de aplicação dos conteúdos explanados por meio dos exemplos.

Atividades de autoavaliação

1) Marque verdadeiro (V) ou falso (F) para as afirmações a seguir sobre os quadriláteros.

　( ) Em um quadrado, todos os lados são iguais e seus ângulos são retos.
　( ) Em um retângulo, as diagonais não são congruentes.
　( ) A soma e todos os ângulos internos de um quadrilátero é igual a 180°.
　( ) Em um losango, os comprimentos de todos os lados são iguais.
　( ) Em um paralelogramo, lados opostos são paralelos e congruentes.

2) Analise as seguintes propriedades.

　I. Possui um par de lados paralelos distintos.
　II. Tem um par de lados congruentes e não paralelos.
　III. Possui diagonais congruentes.

　O quadrilátero que apresenta tais características é o _____.

3) Os valores de x, nas figuras a seguir, correspondem a:

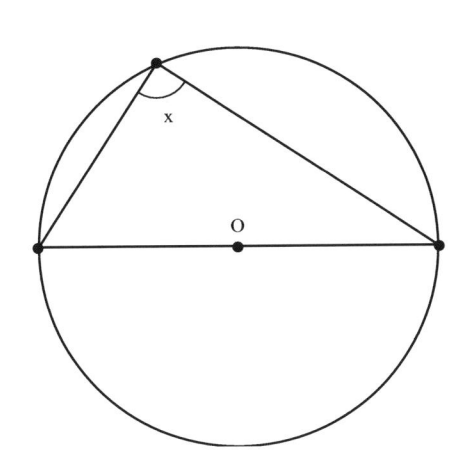

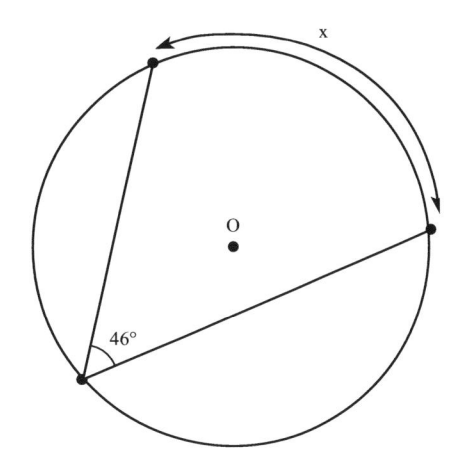

a. 90° e 46°
b. 46° e 46°
c. 90° e 92°
d. 46° e 138°
e. 180° e 92°

4) Em um triângulo retângulo, o maior e o menor lado medem, respectivamente, 15 cm e 9 cm. Qual é a área desse triângulo?

a. 67,5 cm²
b. 135 cm²
c. 90 cm²
d. 54 cm²
e. 27 cm²

5) A área da região hachurada vale:

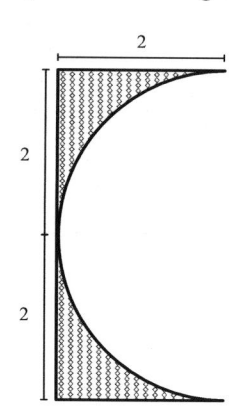

a. $8 - 2\pi$
b. $16 - 2\pi$
c. $9 - \pi$
d. $4 - \pi$
e. $12\pi - 2$

6) A área da região pintada é:
(Utilize $\pi = 3$)

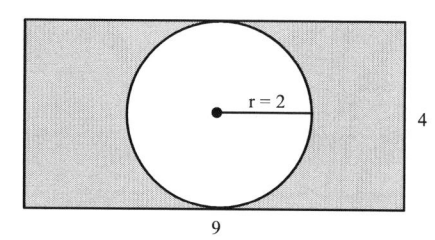

a. 36
b. 12
c. 24
d. 48
e. 60

7) Relacione os itens a suas características:

I. Corda
II. Diâmetro
III. Raio
IV. Ângulo central
V. Ângulo inscrito

( ) É a maior corda da circunferência.
( ) Possui como vértice o centro da circunferência.
( ) Corresponde ao segmento que liga dois pontos distintos da circunferência.
( ) Sua medida é a metade da medida do arco que o define.
( ) É o segmento que liga o centro da circunferência até qualquer ponto dela.

8) A soma das áreas dos três quadrados a seguir é igual a 45 cm². Qual é a área do quadrado maior?

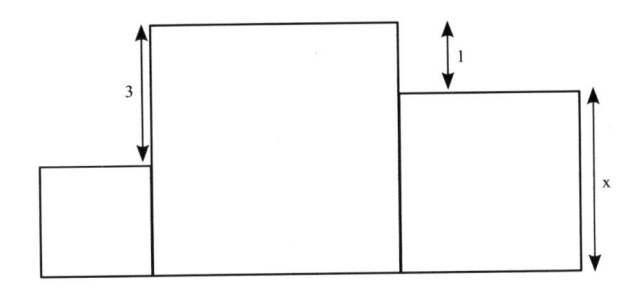

a. 4 cm²
b. 9 cm²
c. 16 cm²
d. 25 cm²
e. 36 cm²

9) A prefeitura de uma cidade gasta R$ 35,00 por metro quadrado de grama plantada. Sabendo que uma praça possui formato de trapézio, como na imagem a seguir, quanto a prefeitura gastou para colocar grama nessa praça se esta não foi plantada apenas em um círculo onde ficarão alguns brinquedos? (Considere $\pi = 3{,}1$)

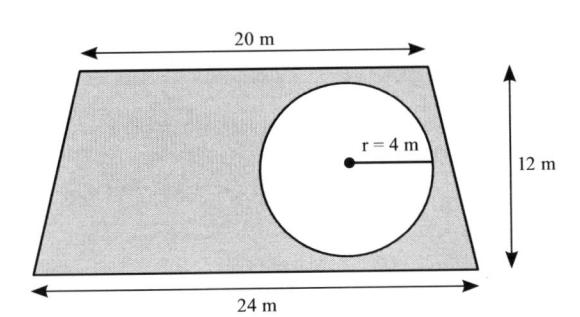

a. R$ 198,00
b. R$ 396,00
c. R$ 1 440,00
d. R$ 6 500,00
e. R$ 7 504,00

10) Se o apótema de um triângulo equilátero corresponde a um terço de sua altura, qual a área de um triângulo equilátero de apótema igual a 2 cm?

a. 6 cm²
b. 9 cm²
c. $4\sqrt{3}$ cm²
d. $12\sqrt{3}$ cm²
e. $6\sqrt{2}$ cm²

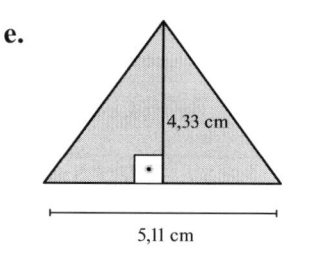

Atividades de aprendizagem

1) Um campo de futebol suíço, de formato retangular, possui 35 m de largura por 55 m de comprimento. Após o alongamento, os jogadores percorrem 6 voltas ao redor do campo para iniciar o treinamento. Sobre isso, responda:

   a. Quantos metros os jogadores correm ao dar uma volta completa no campo? Essa medida corresponde à área ou ao perímetro do retângulo?
   b. Se os jogadores fazem essa corrida 5 vezes por semana, quantos quilômetros eles percorrem em um mês? Considere 1 mês com 4 semanas.
   c. Quantos metros quadrados possui esse campo?

2) Quantos lados tem um polígono regular cujo ângulo interno vale 162°?

3) Um heptágono regular possui 7 lados. Calcule a medida de seu ângulo externo.

4) Um quadrado inscrito em uma circunferência tem lado que mede 10 cm. Calcule a medida do apótema do quadrado (a) e o raio da circunferência (R).

5) Um hexágono regular circunscrito em uma circunferência possui a medida de lado de 12 cm. Calcule o apótema do hexágono (a) e o raio (R) da circunferência circunscrita a ele.

6) Calcule as áreas dos polígonos seguintes.

   a. triângulo retângulo — 3 cm e 4,8 cm
   b. paralelogramo — 3 cm e 4,3 cm
   c. trapézio — 4 cm e 4,5 cm
   d. triângulo — 2,5 cm e 3 cm
   e. triângulo — 4,33 cm e 5,11 cm

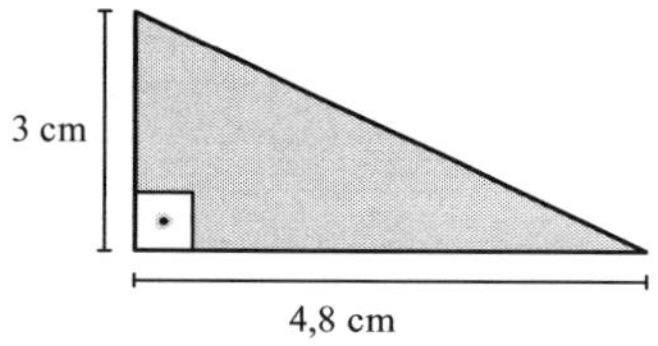

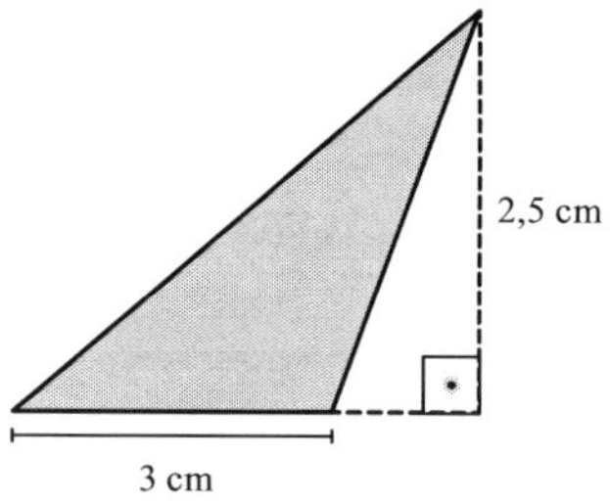

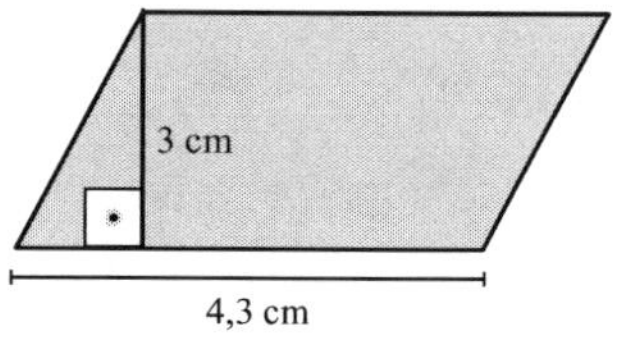

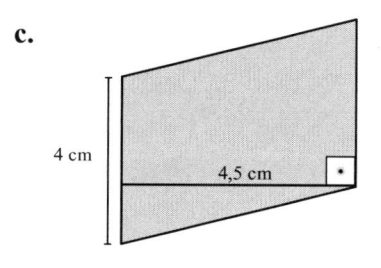

7) Se o comprimento da semicircunferência a seguir é de 31,4 cm, calcule a área e o perímetro dessa figura.

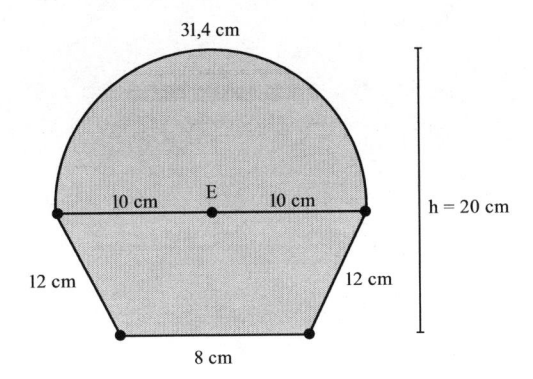

8) Para cada item, determine o comprimento da circunferência. (Use $\pi = 3{,}14$)

   a. O raio mede 10 cm.
   b. O diâmetro mede 40 cm.

9) Com um fio de arame, deseja-se construir uma circunferência de diâmetro 10 cm. Qual deve ser o comprimento do fio?

10) Uma pizza tem raio igual a 15 cm e está dividida em 6 fatias. Calcule a área de cada fatia.

11) Se a área de um trapézio é 60 cm², determine sua base maior sabendo que sua altura é 4 cm e sua base menor é 10 cm.

12) Determine o perímetro de um retângulo sabendo que sua base mede 24 cm e sua altura mede a metade da base.

Zaudir Dal Cortivo
Denise Therezinha Rodrigues Marques Wolski

6
Geometria espacial

Uma forma geométrica que não está contida totalmente no mesmo plano é uma forma de três dimensões (espaço). Neste capítulo, trataremos das propriedades das formas de três dimensões, enfantizando a definição dos objetos geométricos e o estudo de áreas e volumes.

Figura 6.1 – Sólidos geométricos

Liza/Pixabay

Figura 6.2 – Formas geométricas

mauriceangres/Pixabay

6.1 Poliedro

Um sólido geométrico delimitado por regiões planas (polígonos) é denominado *poliedro*. Essas regiões planas são chamadas de *faces do poliedro*, e os segmentos que limitam as faces, de *arestas*. Os vértices são os pontos de interseção de 3 ou mais arestas. Confira a Figura 6.3 a seguir.

Figura 6.3 – Elementos do poliedro

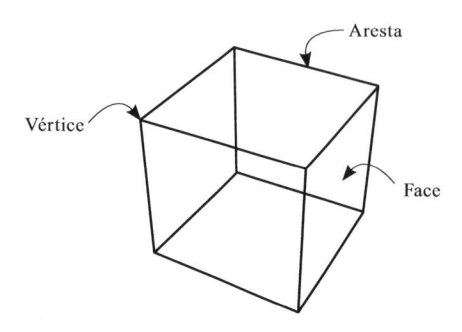

Se um plano corta o poliedro, a intersecção entre o plano e o poliedro será denominada *secção do poliedro*, conforme representado na Figura 6.4 a seguir.

Figura 6.4 – Secção do poliedro

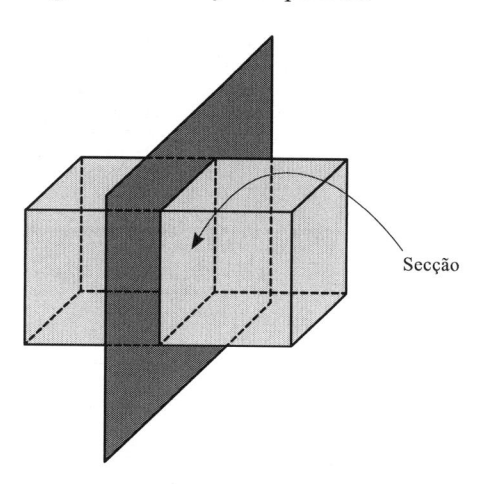

Um poliedro é convexo se qualquer secção sobre o sólido for um polígono convexo. Observe a Figura 6.5 a seguir.

Figura 6.5 – Poliedro convexo

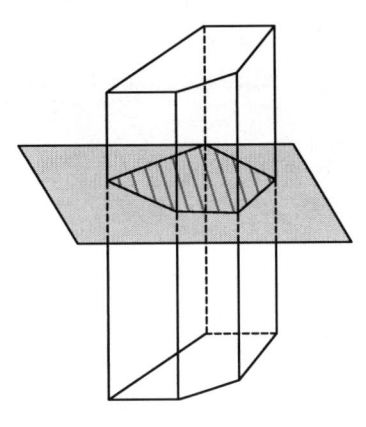

Os poliedros convexos são classificados de acordo com o número de faces. Os nomes de cada tipo são derivados do grego e se referem ao número de faces. Veja alguns exemplos no Quadro 6.1 a seguir.

Quadro 6.1 – Classificação dos poliedros convexos

Quantidade de faces	Nome
4	Tetraedro
5	Pentaedro
6	Hexaedro
7	Heptaedro
8	Octaedro
9	Eneaedro
10	Decaedro
11	Undecaedro
12	Dodecaedro
20	Icosaedro

Figura 6.6 – Tetraedro

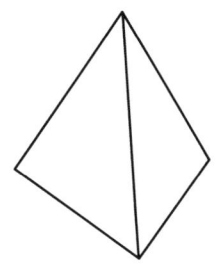

Os sólidos, como a esfera, o cone, o elipsoide e o cilindro, são sólidos não poliédricos.

6.1.1 Poliedros de Platão

Os poliedros cujas faces são polígonos regulares com o mesmo número de lados são denominados *poliedros regulares* ou *poliedros de Platão*. Os poliedros regulares ou de Platão são convexos.

Há exatamente cinco poliedros regulares ou poliedros de Platão: 1) tetraedro; 2) hexaedro; 3) octaedro; 4) dodecaedro e 5) icosaedro regular.

6.1.2 Relação de Euler

Muitas vezes, precisamos conhecer apenas o número de faces, vértices ou arestas de um poliedro, pois, há uma relação entre o número desses elementos, conhecida como *relação de Euler*, que facilita o conhecimento da quantidade do elemento procurado. Veja:

> Para todo poliedro convexo, ou para sua superfície, a soma do número de vértices com o número de faces, subtraída do número de arestas, é igual a 2.
> $V + F - A = 2$

Exemplo 6.1

Em um poliedro convexo de 8 arestas, o número de faces é igual ao número de vértices. Quantas faces tem esse poliedro?

Solução

Arestas = 8

Faces = vértices (o que denota V e F por x)

Se aplicarmos a relação de Euler, teremos:

$V + F - A = 2$

$x + x - 8 = 2$

$2x = 2 + 8$

$2x = 10 \Rightarrow x = 5$

Logo, o poliedro possui 5 faces.

6.2 Prisma

Muitas pessoas, ao observarem o telhado de algumas casas, cometem o equívoco de mencionarem que tem o formato de uma pirâmide. Na verdade, esse formato corresponde à figura de um prisma, pois tem duas faces paralelas triangulares; as demais faces são retangulares.

Na Figura 6.7 a seguir, embora esteja deitado, temos um prisma de base triangular, pois as faces paralelas são triângulos, fato que dá nome ao prisma. Um prisma ainda pode ser quadrangular, pentagonal, hexagonal e assim por diante, de acordo com suas bases.

Figura 6.7 – Prisma triangular

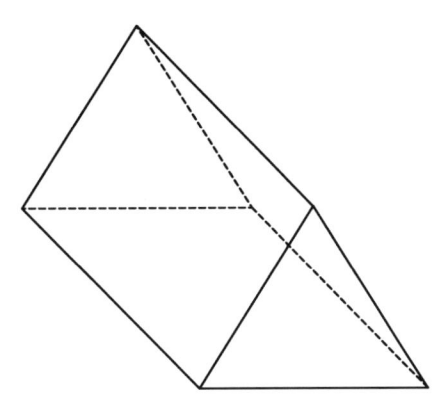

Vamos conhecer, agora, outras características do prisma.

Prisma ilimitado

Dados um polígono convexo com vértices A_1, A_2, ..., A_n e uma reta r que não pertença ao plano nem seja paralela ao plano. A reunião de todas as retas paralelas a r e que passam pela região poligonal dada é denominada *prisma ilimitado convexo* ou *prisma convexo indefinido*, conforme mostra a Figura 6.8 a seguir.

Figura 6.8 – Prisma ilimitado

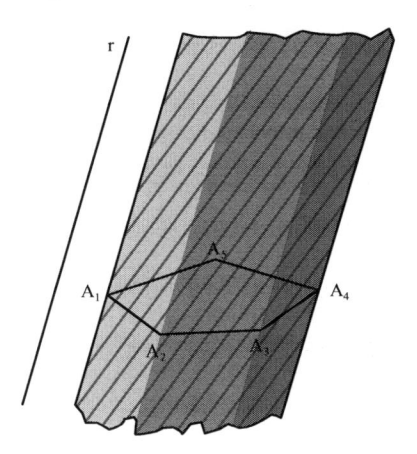

Prisma limitado

Considere um prisma ilimitado seccionado por dois planos α e β paralelos. A parte compreendida entre os planos é denominada *prisma limitado*, conforme ilustrado na Figura 6.9 a seguir.

Figura 6.9 – Prisma limitado

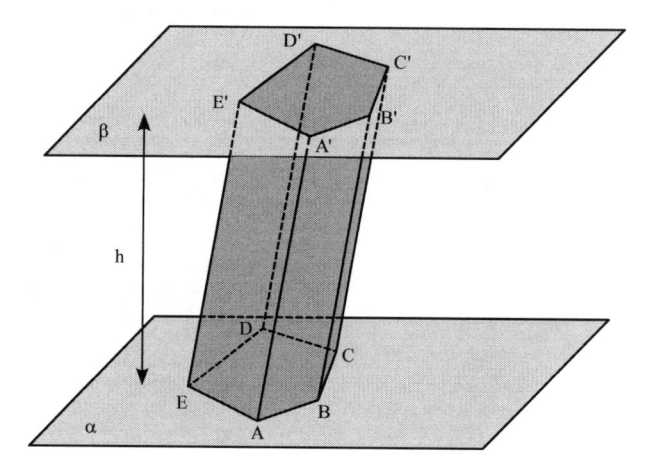

Vamos levar em conta que dois polígonos congruentes e convexos pertencem aos planos paralelos α e β, de tal maneira que seus lados sejam paralelos. Se os vértices desses polígonos (A e A′) são unidos por segmentos de linha, então o resultado será um prisma. As figuras congruentes que se encontram nos planos paralelos são as bases do prisma.

Dado o prisma da Figura 6.9, temos:

- As regiões poligonais A'B'C'D'E' e ABCDE são as bases e seus lados são as arestas da base ($\overline{AB}$, $\overline{BC}$, $\overline{CD}$, $\overline{DE}$, $\overline{EA}$, $\overline{A'B'}$, $\overline{B'C'}$, $\overline{C'D'}$, $\overline{D'E'}$, $\overline{E'A'}$.
- A distância h entre os planos paralelos α e β é a altura.
- Os segmentos $\overline{AA'}$, $\overline{BB'}$, $\overline{CC'}$, $\overline{DD'}$ e $\overline{EE'}$ são as arestas laterais.
- Os paralelogramos AA'B'B, BB'C'C, CC'D'D, DD'E'E, EE'A'A são as faces laterais.

Um prisma pode ser:

- reto – quando as arestas laterais são perpendiculares aos planos das bases;
- oblíquo – quando as arestas laterais são oblíquas aos planos das bases.

6.2.1 Superfície de um prisma

Em um prisma, a superfície lateral é a reunião de suas faces laterais (A_l). Desse modo, para calcularmos a área lateral, basta somarmos as áreas das faces laterais:

$$A_l = \sum A_f$$

Já a superfície total é a reunião da superfície lateral com as bases (A_t). Então, a área da superfície de um prisma, ou a área total, é dada por:

$$A_t = A_l + 2A_b$$

Exemplo 6.2

Seja um prisma triangular reto de bases que são triângulos retângulos com catetos que medem 3 cm e 4 cm. A altura do prisma é 8 cm. Determine a área lateral e a área total.

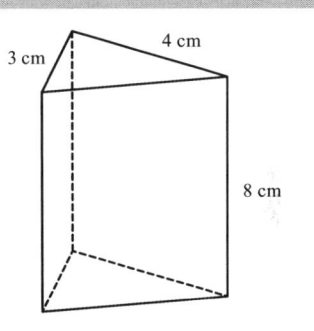

Solução

Primeiro, vamos determinar a medida da hipotenusa:

$$a^2 = 4^2 + 3^2 = 25 \Rightarrow a = 5 \text{ cm}$$

Agora, podemos calcular a área lateral:

$$A_l = 3 \cdot 8 + 4 \cdot 8 + 5 \cdot 8 = 12 \cdot 8 = 96 \text{ cm}^2$$

Como a base é um triângulo, temos:

$$A_b = \frac{3 \cdot 4}{2} = 6 \text{ cm}^2$$

Portanto, a área total é:

$$A_t = A_l + 2A_b = 96 + 2 \cdot 6 = 108 \text{ cm}^2$$

6.2.2 Volume de um prisma

O volume de um prisma é um número real positivo que expressa a quantidade de unidades de volume que compõem o sólido geométrico. Essa unidade pode ser um cubo.

Na Figura 6.10 a seguir, para determinarmos o volume de um prisma retangular, definimos o número de cubos de 1 cm de aresta que cabem dentro do prisma. Assim, o volume é de 24 unidades de área.

Figura 6.10 – Volume de um prisma

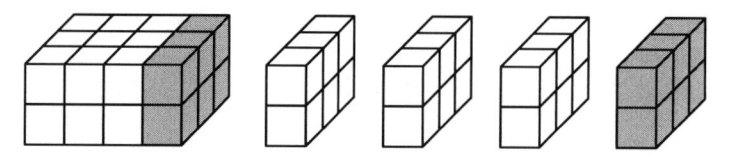

Portanto, o volume de um prisma é dado pelo produto da área da base pela sua altura (h):

$$V = A_b h$$

Exemplo 6.3

Calcule a área total e o volume de um prisma hexagonal regular reto de 10 cm de altura. A aresta da base do prisma mede 4 cm.

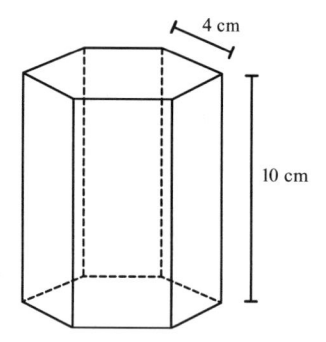

Solução

Primeiro, devemos fazer o cálculo da área lateral:

$$A_l = 6 \cdot 4 \cdot 10 = 240 \text{ cm}^2$$

A base é formada por 6 triângulos equiláteros de lado 4 cm. Para calcularmos a área da base, fazemos:

$$A_b = 6\left(\frac{l^2\sqrt{3}}{4}\right) = 6 \cdot \left(\frac{4^2\sqrt{3}}{4}\right) = 24\sqrt{3} \text{ cm}^2$$

Para encontrarmos a área total, usamos:
$$A_t = A_l + 2A_b = 240 + 2 \cdot 24\sqrt{3} = 240 + 48\sqrt{3} \text{ cm}^2$$

E, por fim, o volume:
$$V = A_b h = 10 \cdot 24\sqrt{3} = 240\sqrt{3} \text{ cm}^3$$

6.3 Pirâmide

Vamos considerar um polígono convexo e um ponto fixo P não coplanar, isto é, que não pertença ao plano que contém os pontos do polígono. Se uma linha que contém o ponto fixo P se move de modo a tocar os limites do polígono e atravessa-lo completamente, dizemos que a linha gera uma superfície piramidal convexa.

Figura 6.11 – Pirâmide

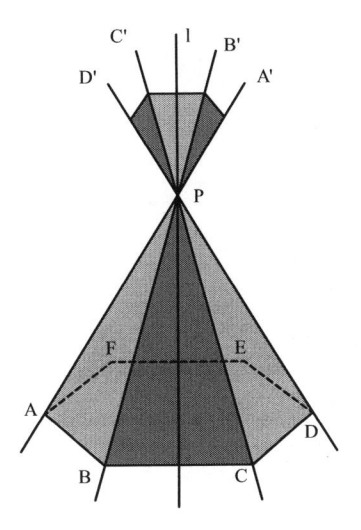

Na Figura 6.11, o ponto fixo P é denominado *vértice da pirâmide*; a superfície lateral de uma pirâmide é composta por triângulos em que um dos vértices é o ponto P.

As superfícies laterais são denominadas *faces da pirâmide*, e os lados do polígono formam a base. Os lados comuns a dois triângulos são as arestas laterais.

As pirâmides são classificadas de acordo com a forma geométrica da base: triangular, quadrangular, pentagonal, hexagonal, e assim sucessivamente.

Figura 6.12 – Pirâmide reta pentagonal

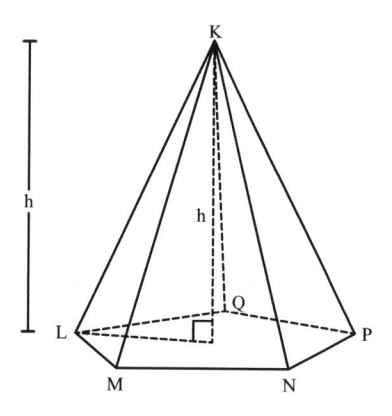

Na pirâmide da Figura 6.12, a base é um pentágono LMNPQ, com vértice K. As arestas laterais são os segmentos $\overline{KL}$, $\overline{KM}$, $\overline{KN}$, $\overline{KP}$ e $\overline{KQ}$. A pirâmide tem 6 vértices da base, e as arestas são os segmentos $\overline{LM}$, $\overline{MN}$, $\overline{NP}$, $\overline{PQ}$ e $\overline{LQ}$. As faces são os triângulos $\triangle KMN$, $\triangle KNP$, $\triangle KPQ$, $\triangle KML$ e $\triangle KLQ$. A altura da pirâmide, de comprimento h, é a distância perpendicular do vértice da pirâmide até o plano da base.

Uma pirâmide regular é aquela cuja base é um polígono regular e suas arestas laterais são todas congruentes. A altura de qualquer face triangular de uma pirâmide regular é denominada *apótema da pirâmide*.

6.3.1 Área e volume de uma pirâmide

Observe a Figura 6.13 a seguir.

Figura 6.13 – Elementos da pirâmide

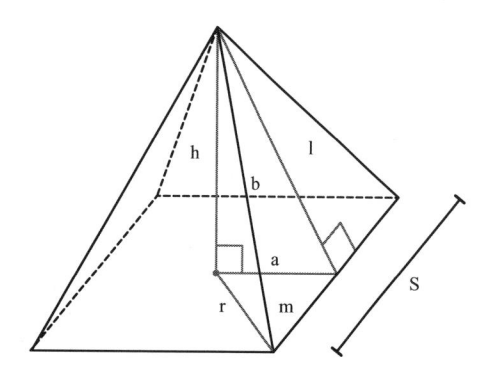

Nela, temos:

- l: apótema da pirâmide;
- h: altura da pirâmide;

- a: apótema da base;
- r: raio da circunferência inscrita no polígono da base;
- b: medida da aresta lateral;
- s: medida da aresta da base;
- m: medida da metade do comprimento da aresta da base, $m = \dfrac{s}{2}$.

Podemos, então, verificar as seguintes relações métricas para pirâmides com base regular:

$$b^2 = r^2 + h^2 \qquad \text{(I)}$$
$$r^2 = m^2 + a^2 \qquad \text{(II)}$$
$$l^2 = a^2 + h^2 \qquad \text{(III)}$$
$$b^2 = m^2 + l^2 \qquad \text{(IV)}$$

A área de cada face triangular é dada pela fórmula da área de um triângulo. A altura é dada pela medida do apótema da pirâmide e a medida da base do triângulo pelo comprimento da aresta da base. Se considerarmos uma pirâmide com n faces, a área lateral será dada por:

$$A_l = n\dfrac{sl}{2}$$

Já a área total é a soma das áreas da base com a área lateral:

$$A_T = A_b + A_l$$

E o volume é dado por:

$$V = \dfrac{1}{3} A_b h$$

A região entre a base da pirâmide e um plano de corte é chamada de *tronco de pirâmide* se o plano de corte for paralelo à base. Uma pirâmide é truncada se o plano de corte não for paralelo à base. O volume do tronco de pirâmide é dado por:

$$V = \dfrac{k}{3}\left[A_B + A_b + \sqrt{A_B \cdot A_b}\right]$$

Em que:

- A_B é a área da base maior;
- A_b é a área da base menor;
- k é a altura do tronco.

Exemplo 6.4

Em uma pirâmide quadrangular regular, a aresta da base mede 8 m. Se a aresta lateral tem $\sqrt{41}$ m, calcule a área total e o volume dessa pirâmide.

Solução

As medidas que temos são:

- a = 4 m;
- s = 8 m;
- b = 5 m;
- m = 4 m.

Primeiro, vamos fazer o cálculo do apótema da pirâmide:

$$b^2 = m^2 + l^2 \Rightarrow \sqrt{41}^2 = 4^2 + l^2 \Rightarrow l = \sqrt{25} = 5 \text{ m}$$

Depois, calculamos a altura:

$$l^2 = a^2 + h^2 \Rightarrow 25 = 4^2 + h^2 \Rightarrow h = 3 \text{ m}$$

Na sequência, encontramos a área lateral e a área da base:

Área lateral: $A_l = n\dfrac{sl}{2} = 4 \cdot \dfrac{8 \cdot 5}{2} = 80 \text{ m}^2$

Área da base: $A_b = 8^2 = 64 \text{ m}^2$

Com esses dados, podemos obter a área total:

$$A_T = A_b + A_l = 64 + 80 = 144 \text{ m}^2$$

E o volume:

$$V = \dfrac{1}{3}A_b h = \dfrac{1}{3} \cdot 64 \cdot 3 = 64 \text{ m}^3$$

Exemplo 6.5

Considere uma pirâmide hexagonal regular reta com 6 cm de altura e 8 cm de medida da aresta da base. Determine a área total e o volume dessa pirâmide.

Solução

Temos as seguintes medidas:

- s = 8 m;
- h = 6 cm;
- r = 8 cm.

Se substituirmos esses valores na fórmula a seguir, teremos:

$$a = \frac{r\sqrt{3}}{2} = 4\sqrt{3} \text{ cm}$$

Depois, fazemos o cálculo do apótema da pirâmide:

$$l^2 = a^2 + h^2 \Rightarrow l^2 = (4\sqrt{3})^2 + 6^2 \Rightarrow l^2 = 84$$

$$l = \sqrt{84} \text{ cm}$$

Em seguida, encontramos a área lateral e a área da base:

Área lateral: $A_l = n\frac{sl}{2} = 6 \cdot \frac{8 \cdot \sqrt{84}}{2} = 48\sqrt{21} \text{ m}^2$

Área da base: $A_b = 6 \cdot \frac{s^2\sqrt{3}}{4} = 96\sqrt{3} \text{ m}^2$

Por fim, obtemos a área total:

$$A_T = A_b + A_l = 48\sqrt{21} + 96\sqrt{3} \text{ m}^2$$

E o volume:

$$V = \frac{1}{3}A_b h = \frac{1}{3} \cdot 96\sqrt{3} \cdot 6 = 192\sqrt{3} \text{ m}^3$$

Exemplo 6.6

Uma sapata (parte de um alicerce) tem a forma de um tronco de pirâmide quadrangular com 1 m de altura. As bases são quadradas de medidas 4 m e 2 m. Determine o volume de concreto utilizado para fazer a sapata.

Solução

Sabemos que o volume pode ser calculado por meio da fórmula:

$$V = \frac{k}{3}\left[A_B + A_b + \sqrt{A_B \cdot A_b}\right]$$

Assim, precisamos encontrar as áreas das bases:

$$A_B = 4^2 = 16 \text{ m}^2$$
$$A_b = 2^2 = 4 \text{ m}^2$$

Agora, podemos obter o volume:

$$V = \frac{1}{3}\left[16 + 4 + \sqrt{16 \cdot 4}\right] = \frac{1}{3}[20 + 8] = \frac{28}{3} \text{ m}^3$$

6.4 Cilindro

Se olharmos a nossa volta, certamente encontraremos objetos que têm o formato de um cilindro. Lixeiras, recipientes, copos, por exemplo, podem ser cilíndricos. É importante observarmos que nem todos os copos que utilizamos são cilíndricos; alguns são troncos de cone. Portanto, para que tenhamos um cilindro, algumas características precisam ser levadas em consideração, como a presença de duas bases circulares de mesmo tamanho.

Desse modo, vamos, agora, conhecer mais características desse sólido geométrico, começando pela classificação das superfícies cilíndricas.

As superfícies cilíndricas são geradas pelo movimento de uma reta (geratriz) sobre uma ou mais linhas (linhas diretrizes). Nas superfícies cilíndricas regradas, a geratriz é uma linha reta e elas são ditas *planificáveis* quando podem ser desenroladas em uma superfície plana sem cortes ou enrugamentos ou *empenadas* quando não é possível planificar.

Já superfícies geradas por uma reta g (geratriz) que percorre os pontos de uma linha d (diretriz) e que se mantém paralela a uma reta dada r são denominadas *superfícies regradas desenvolvíveis cilíndricas*.

Figura 6.14 – Superfície cilíndrica

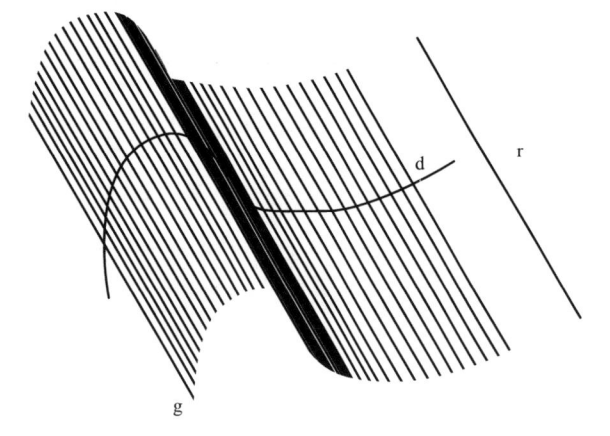

A superfície cilíndrica é plana se a reta diretriz é uma reta não paralela a r. E a superfície cilíndrica circular reta é ilimitada se a diretriz é uma circunferência, cujo plano concorre com a reta r.

Figura 6.15 – Superfície cilíndrica de rotação

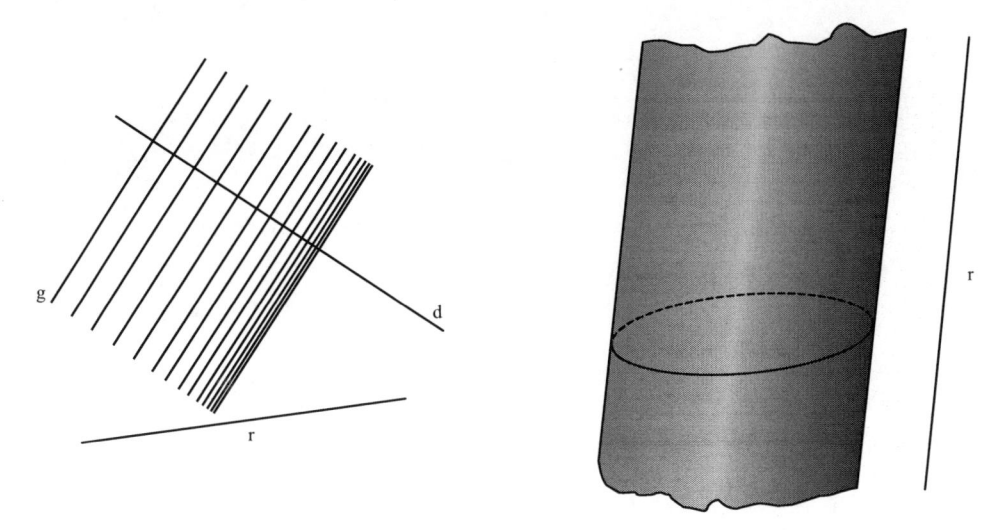

Superfícies geradas pela rotação ou revolução de uma linha (geratriz) em torno de uma reta fixa (eixo), mantendo constante a distância da linha ao eixo, é denominada *superfície cilíndrica de revolução ou de rotação*.

Por fim, o sólido limitado pela superfície cilíndrica circular e por duas secções planas paralelas (bases) que cortam todos os seus elementos é denominado **cilindro**. Se o cilindro for reto, sua altura coincide com a medida da geratriz.

6.4.1 Área e volume de um cilindro

A área lateral de um cilindro é dada pela área de um retângulo, pois, se planificarmos o cilindro, teremos um retângulo de comprimento $2\pi r$ e altura h, como mostra a Figura 6.16 a seguir.

Figura 6.16 – Elementos do cilindro

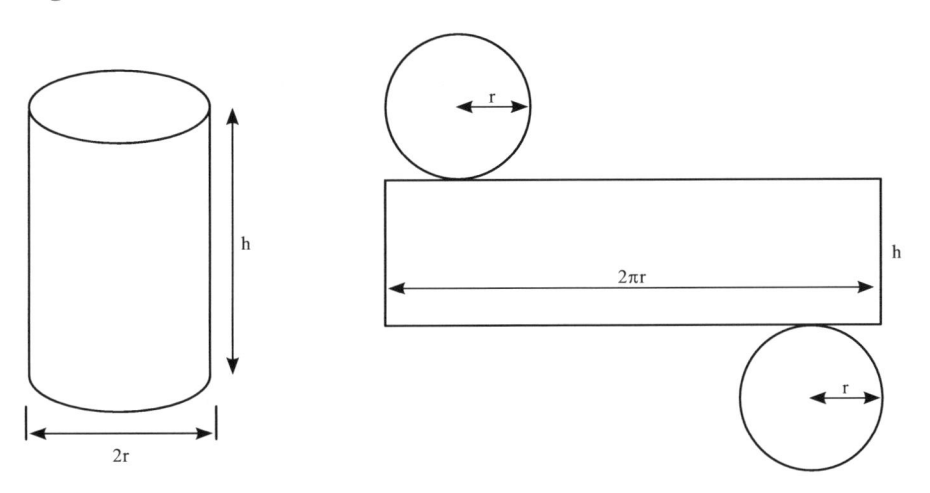

A área de cada base é dada pela área do círculo:

$$A_b = \pi r^2$$

Logo, a área total do cilindro pode ser obtida por:

$$A_l + 2A_b$$

O volume de um cilindro é dado pelo produto da área da base por sua altura:

$$V = A_b h = \pi r^2 h$$

Exemplo 6.7

Determine área total e o volume de um cilindro reto de 5 m de altura e 12 m de diâmetro.

Solução

Primeiro, fazemos o cálculo da área lateral:

$$A_l = 2\pi rh = 2\pi \cdot 6 \cdot 5 = 60\pi \text{ m}^2$$

Depois, encontramos a área da base:

$$A_b = \pi r^2 = \pi 6^2 = 36\pi \text{ m}^2$$

Por fim, calculamos a área total e o volume:

Área total: $A_t = A_l + 2A_b = 60\pi + 2 \cdot 3 \cdot 6 \cdot \pi = 132\pi \text{ m}^2$

Volume: $V = A_b h = \pi r^2 h = \pi \cdot 6^2 \cdot 5 = 180\pi \text{ m}^3$

Exemplo 6.8

Uma peça metálica tem a forma da imagem a seguir.

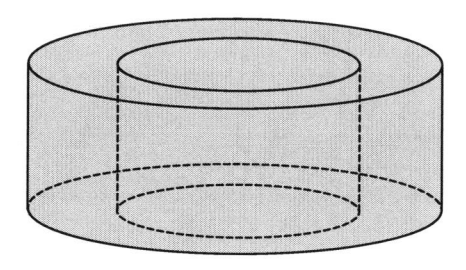

Se a altura mede 4 cm, o raio interno mede 2 cm e raio externo mede 3 cm, determine a medida da superfície. A seguir, obtenha o volume de aço utilizado para essa peça.

■ Solução

Primeiro, fazemos o cálculo da área lateral:

$$A_{l1} = 2\pi rh = 2\pi \cdot 2 \cdot 4 = 16\pi \text{ m}^2$$

$$A_{l2} = 2\pi rh = 2\pi \cdot 3 \cdot 4 = 24\pi \text{ m}^2$$

Depois, calculamos a área da base:

$$A_{b1} = \pi r^2 = \pi 2^2 = 4\pi \text{ m}^2$$

$$A_{b2} = \pi r^2 = \pi 3^2 = 9\pi \text{ m}^2$$

E a área total:

$$A_t = A_{l1} + A_{l2} + 2A_{b2} - 2A_{b1} = 16\pi + 24\pi + 2 \cdot 9 \cdot \pi - 2 \cdot 4\pi = 50\pi \text{ m}^2$$

Assim, podemos obter o volume:

$$V = V_2 - V_1 = 9\pi \cdot 4 - 4\pi \cdot 4 = 20\pi \text{ m}^3$$

6.5 Cone

Superfícies geradas por uma reta geratriz (g) que passa por um ponto dado V (vértice) e que percorre os pontos de uma linha diretriz (d), com V fora de d, são denominadas *superfícies regradas desenvolvíveis cônicas*.

Figura 6.17 – Cone

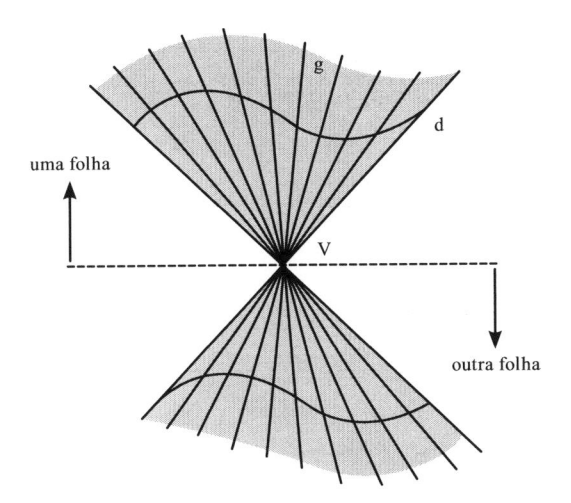

A superfície cônica é circular reta se a diretriz é uma circunferência de centro O e raio r, e a reta VO é perpendicular ao plano que contém a circunferência.

Superfícies geradas pela rotação ou revolução de uma reta g (geratriz) em torno de uma reta fixa (eixo), com intersecção em V, tal que a reta g é oblíqua ao eixo, são chamadas de *superfícies cônicas de revolução ou de rotação*. Dizemos que a superfície tem duas folhas.

O sólido limitado pela superfície cônica circular e por uma secção de um plano α (bases) que corta todos os seus elementos, tal que o ponto V (vértice) não pertença ao plano α, é denominado **cone circular** ou simplesmente **cone**. A secção é um círculo de raio r e centro O.

A rotação de um triângulo retângulo em torno de um eixo que contém um de seus catetos é denominada *cone circular de revolução*.

Figura 6.18 – Cone oblíquo

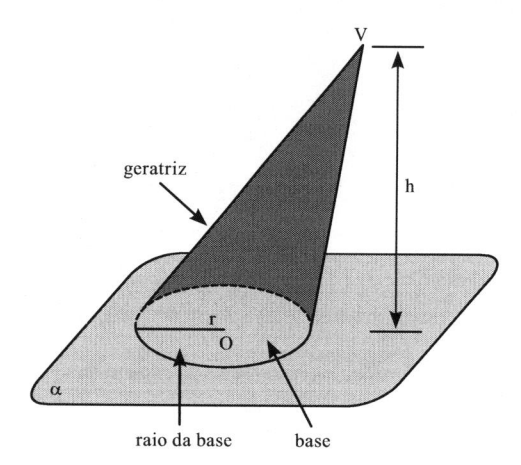

Vejamos, na Figura 6.19 a seguir, os elementos de um cone reto.

Figura 6.19 – Cone reto

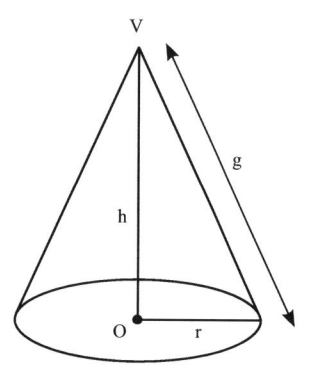

O círculo é a base do cone, e r é seu raio. A altura do cone é a distância do vértice V ao plano que contém a base, e g é a medida da geratriz do cone.

6.5.1 Área e volume de um cone

A planificação de uma superfície lateral de um cone resulta em um setor circular de raio g e arco de comprimento $2\pi r$. Assim, temos:

$$A_l = \frac{2\pi r \cdot g}{2} = \pi r g$$

A área da base é dada pela área do círculo:

$$A_c = \pi r^2$$

Logo, a área total é dada por:

$$A_t = A_l + A_b = \pi r(g + r)$$

O volume do cone é dado por um terço do produto da área da base pela altura:

$$V = \frac{1}{3} A_b h = \frac{1}{3} \pi r^2 h$$

6.5.2 Tronco de um cone de bases paralelas

Sejam um cone circular reto, de vértice V e altura h, e a secção determinada por um plano paralelo à base do cone, com distância d. O sólido obtido com as bases paralelas é denominado *tronco de cone de bases paralelas*.

Figura 6.20 – Tronco de cone

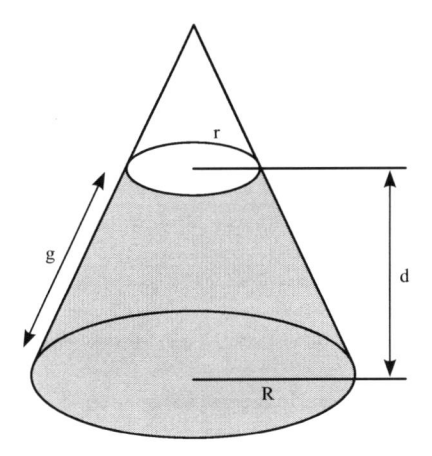

Dessa forma, o volume do tronco de cone é dado por:

$$V = \frac{\pi d}{3}[R^2 + r^2 + R \cdot r]$$

Exemplo 6.9

Um cone circular reto tem raio de 8 cm e geratriz de 10 cm. Calcule a área total e o volume desse cone.

Solução

Primeiro, devemos encontrar a altura:

$$g^2 = r^2 + h^2 \Rightarrow 10^2 = 8^2 + h^2 \Rightarrow h = 6 \text{ cm}$$

Depois, fazemos o cálculo da área lateral:

$$A_l = \pi r g = \pi \cdot 8 \cdot 10 = 80\pi \text{ cm}^2$$

Na sequência, o cálculo da área da base:

$$A_b = \pi r^2 = \pi 8^2 = 64\pi \text{ cm}^2$$

Por fim, obtemos a área total e o volume:

Área total: $A_t = A_l + A_b = 80\pi + 64\pi = 144\pi \text{ cm}^2$

Volume: $V = \dfrac{1}{3} A_b h = \dfrac{1}{3}\pi r^2 h = \dfrac{1}{3}\pi \cdot 8^2 \cdot 6 = 128\pi \text{ cm}^3$

Exemplo 6.10

Determine o volume do sólido com as seguintes medidas:

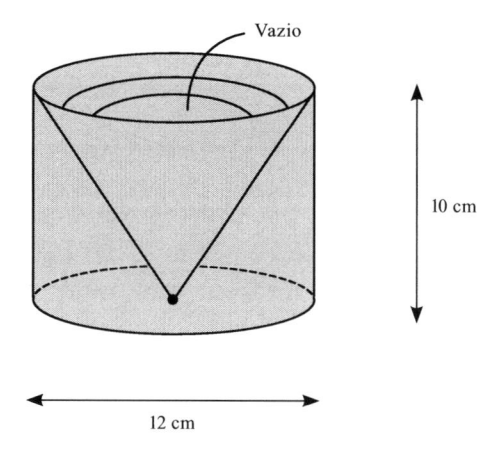

Solução

Inicialmente, devemos fazer o cálculo da área da base:

$$A_b = \pi r^2 = \pi 6^2 = 36\pi \text{ cm}^2$$

Agora podemos obter o volume:

$$V = V_{cilindro} - V_{cone} = A_{b_{cilindro}} h - \frac{1}{3} A_{b_{cone}} h = 36\pi \cdot 10 - \frac{1}{3}\pi \cdot 36 \cdot 10 = 240\pi \text{ cm}^3$$

Exemplo 6.11

Seja um tronco de cone circular reto com altura de 6 cm. Os raios das bases são 2 cm e 3 cm. Calcule o volume e a área desse tronco.

Solução

Primeiro, fazemos o cálculo do volume:

$$V = \frac{\pi d}{3}[R^2 + r^2 + R \cdot r]$$

$$V = \frac{\pi \cdot 6}{3}[3^2 + 2^2 + 3 \cdot 2] = 38 \text{ cm}^3$$

Depois, encontramos a geratriz:

$$g^2 = h^2 + (R - r)^2 = 36 + 1 = 37$$

Por fim, calculamos a área total:

$$A_t = A_l + A_B + A_b = \pi g(R + r) + \pi R^2 + \pi r^2 = \pi\left[\sqrt{37} \cdot (3 + 2) + 3^2 + 2^2\right]$$

$$A_t = \left(5\sqrt{37} + 13\right)\pi \text{ cm}^2$$

6.6 Esfera

Um sólido limitado por uma superfície em que todos os pontos P são equidistantes de um ponto interno O é denominado *esfera*, e a distância de P ao ponto O é o seu raio r. O ponto O é o centro da esfera. A superfície é chamada de *superfície esférica*.

Figura 6.21 – Esfera

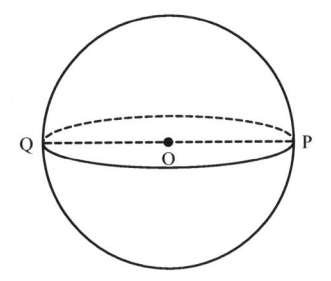

6.6.1 Área e volume de uma esfera

A área de uma superfície esférica de raio r é dada por:

$$A = 4\pi r^2$$

O volume de uma esfera de raio r é dado por:

$$V = \frac{4}{3}\pi r^3$$

Exemplo 6.12

Determine a área total e o volume do sólido com as medidas indicadas na imagem a seguir.

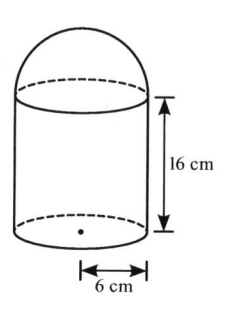

Solução

Primeiro, calculamos as áreas do cilindro e do hemisfério:

Área do cilindro: $A_t = A_l + A_b = \pi rh + \pi r^2 = \pi(6 \cdot 16 + 6^2) = 132\pi$

Área do hemisfério: $A = \dfrac{4\pi r^2}{2} = 2 \cdot \pi \cdot 6^2 = 72\pi \text{ cm}^2$

Agora, conseguimos obter a área total:

$A_t = 132\pi + 72\pi = 204\pi \text{ cm}^2$

E o volume:

$V_{\text{hemisfério}} = \dfrac{4}{3}\pi r^3 = \dfrac{4}{3}\pi 6^3 = 288\pi \text{ cm}^3$

$V_{\text{cilindro}} = A_b h = \pi r^2 h = \pi 6^2 \cdot 16 = 576\pi \text{ cm}^3$

$V_t = 288\pi + 576\pi = 864\pi \text{ cm}^3$

SÍNTESE

Conhecer os sólidos geométricos e suas características nos permite representar muitos modelos cotidianos. Neste capítulo, vimos os conceitos básicos sobre os sólidos geométricos, que são formas tridimensionais, o que significa que eles têm três dimensões: 1) largura, 2) profundidade e 3) altura.

Exemplos básicos de sólidos geométricos são esferas, cubos, cilindros e pirâmides, mas existem muitos outros.

Alguns sólidos geométricos têm faces planas, curvas ou ambas; outros têm faces com a mesma forma, como o cubo; alguns, ainda, têm faces com formas diferentes.

Vimos essas formas geométricas no espaço e suas especificidades e, em particular, o prisma, a pirâmide, o cilindro, o cone e a esfera. Conhecemos algumas de suas características e de seus elementos e abordamos o cálculo da área e do volume.

ATIVIDADES DE AUTOAVALIAÇÃO

1) O número de vértices de um poliedro de 8 faces triangulares e 4 faces quadrangulares é igual a:

   a. 10.
   b. 12.
   c. 40.
   d. 20.
   e. 8.

2) Quantos litros de água serão utilizados para preencher completamente uma caixa-d'água em formato de paralelepípedo com as dimensões: 0,90 m; 1 m; 1,20 m?

   a. 3,1 L.
   b. 31 000 L.
   c. 1,08 L.
   d. 1 080 L.
   e. 310 L.

3) Uma empresa de doces fazia um chocolate no formato de cubo, com aresta de 6 cm. A fábrica fez algumas modificações e agora fará o chocolate em formato de paralelepípedo. Sabe-se que duas dimensões do paralelepípedo serão 4 cm e 6 cm. Qual deverá ser a outra dimensão para que o consumidor tenha a mesma quantidade de chocolate do formato antigo?

a. 4 cm.
b. 5 cm.
c. 6 cm.
d. 8 cm.
e. 9 cm.

4) A planificação a seguir corresponde a qual sólido geométrico?

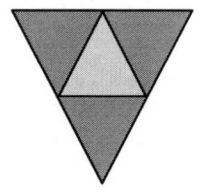

a. Pirâmide de base triangular.
b. Prisma de base triangular.
c. Tronco de cone.
d. Prisma hexagonal.
e. Pirâmide de base hexagonal.

5) Duas latas cilíndricas apresentam o mesmo volume. A primeira tem 6 cm de raio e 10 cm de altura. Qual a altura da segunda lata sabendo que ela tem 3 cm de raio?

a. 5 cm.
b. 20 cm.
c. 30 cm.
d. 40 cm.
e. 80 cm.

6) A área total e o volume do sólido seguinte são, respectivamente:

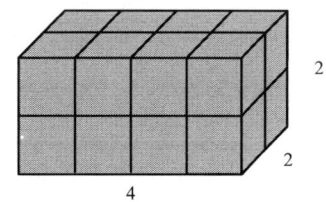

a. 8 e 16.
b. 20 e 16.
c. 40 e 16.
d. 16 e 20.
e. 16 e 40.

7) Um frasco de perfume tem o formato de um prisma hexagonal reto, com aresta da base de 10 cm e altura de 24 cm. Qual o volume do frasco?

a. $7\,200\sqrt{3}$ cm³.
b. $3\,600\sqrt{3}$ cm³.
c. $1\,200\sqrt{3}$ cm³.
d. $720\sqrt{3}$ m³.
e. $120\sqrt{3}$ cm³.

8) A área total de um cone é 324π cm². Se o raio desse cone é 12 cm, sua altura é:

a. 15 cm.
b. 9 cm.
c. 12 cm.
d. 8 cm.
e. 11 cm.

9) Em uma pirâmide de base quadrada, a medida da área da base é 324 m² e a área lateral é 540 m². Qual é o volume dessa pirâmide?

a. 972 m³.
b. 1 296 m³.
c. 1 620 m³.
d. 5 184 m³.
e. 6 234 m³.

10) Qual o volume de uma esfera de raio 3 cm?

a. 12π cm³.
b. 108π cm³.
c. $20{,}25\pi$ cm³.
d. 27π cm³.
e. 36π cm³.

11) Em um prisma pentagonal regular reto, a aresta da base mede 6 cm, e o apótema das medidas de base, 4 cm. A altura do prisma é 10 cm. Determine a área total e o volume desse prima.

   a. $A_t = 420$ cm²; $V = 600$ cm³.
   b. $A_t = 260$ cm²; $V = 500$ cm³.
   c. $A_t = 400$ cm²; $V = 400$ cm³.
   d. $A_t = 450$ cm²; $V = 300$ cm³.
   e. $A_t = 520$ cm²; $V = 700$ cm³.

12) Uma caixa tem a forma de um prisma pentagonal. As dimensões são dadas na imagem a seguir. Determine o volume dessa caixa em cm³.

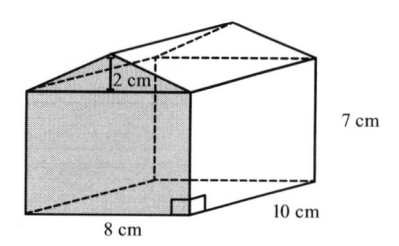

   a. 680 cm³.
   b. 608 cm³.
   c. 640 cm³.
   d. 520 cm³.
   e. 360 cm³.

13) Um prisma hexagonal regular reto tem área lateral de 60 cm². Se o perímetro da base tem 24 cm, calcule o volume.

   a. $60\sqrt{3}$ cm³.
   b. $76\sqrt{3}$ cm³.
   c. $66\sqrt{3}$ cm³.
   d. $360\sqrt{3}$ cm³.
   e. 27π cm³.

14) Determine o volume de concreto utilizado para pavimentar uma área retangular de 25,5 m por 12 m com uma espessura de 4 cm.

   a. 12 m³.
   b. 13,2 m³.
   c. 12,24 m³.
   d. 15,333 m³.
   e. 3,6 m³.

15) Obtenha o volume de uma pirâmide quadrangular regular, sabendo que $4\sqrt{2}$ m é a medida da aresta da base e 5 m, a medida das suas arestas laterais.

   a. 21 m³.
   b. 62 m³.
   c. 20,25 m³.
   d. 32 m³.
   e. 36 m³.

16) A água da chuva é recolhida em um pluviômetro em forma de cone. Se a água alcança uma altura de 9 cm e forma um pequeno cone de 16 cm de diâmetro, e a água é vertida em um cubo de 12 cm de aresta, que altura alcançará a água no cubo? (Use $\pi = 3$)

   a. 6,3 cm.
   b. 8,3 cm.
   c. 9,1 cm.
   d. 5 cm.
   e. 4 cm.

17) Em uma fazenda, há 4 silos para armazenagem de grãos. As formas geométricas desses recipientes são um cilindro e um cone retos, conforme a imagem ao lado. Se as bases dos cilindros dos silos são iguais e medem 6 m de diâmetro, o silo menor tem 7 m e os outros 3 têm 12 m de altura, e o cone dos 4 silos têm 4 m de altura, calcule o volume máximo de grãos que pode ser armazenado nos quatro silos simultaneamente, desprezando a espessura de suas paredes. (Utilize $\pi = 3,14$)

   a. 1 453,3 m³.
   b. 1 752,3 m³.
   c. 2 032,5 m³.
   d. 1 365,9 m³.
   e. 1 621,3 m³.

18) Uma floreira de cerâmica tem formato de um tronco regular de pirâmide. Duas de suas laterais são compostas por trapézios isósceles e, como fundo, há um retângulo de 5 m por 2 m de lado. Se a abertura da floreira tem 8 m de largura e 5 m de comprimento, desprezando a espessura da cerâmica, determine a altura da floreira e o volume máximo a ser preenchido com terra para o plantio de folhagens.

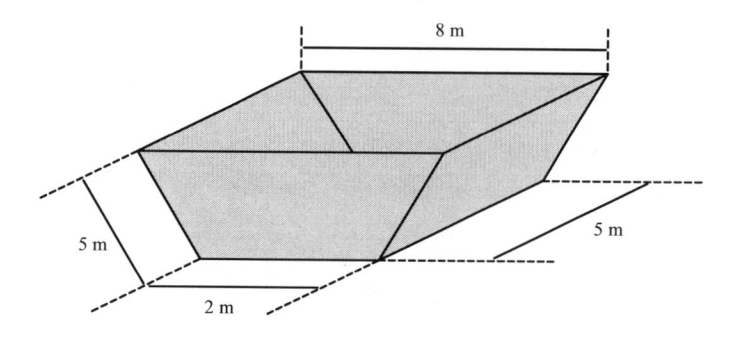

a. $h = 4$ e $V = 93,333$ m^3.
b. $h = 4,5$ e $V = 90,3$ m^3.
c. $h = 5$ e $V = 98,44$ m^3.
d. $h = 3,9$ e $V = 83,333$ m^3.
e. $h = 3,87$ e $V = 88,333$ m^3.

Atividades de aprendizagem

1) Para construir uma manilha, foi utilizado um cilindro de espessura desprezível de 25 cm de raio e 60 cm de comprimento. O cilindro foi revestido apenas lateralmente com uma camada de concreto de 5 cm de espessura. Qual o volume de concreto utilizado em L? (Utilize $\pi = 3,1$)

2) Um tanque de armazenamento de água tem a forma de um tronco de cone. Suas dimensões estão indicadas na imagem a seguir. Qual o volume máximo de água que esse tanque pode conter?

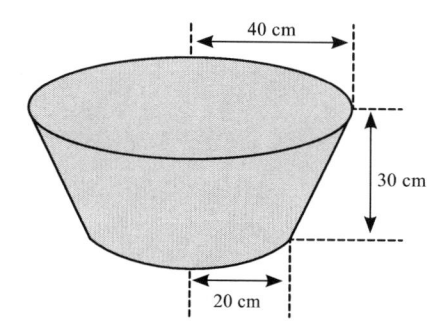

3) Uma bola esférica é fabricada com 4 subdivisões idênticas, cada uma com uma cor. Se o volume dessa bola é 2 304π cm³, qual a área de cada subdivisão?

4) Para um cone reto que tem geratriz de 10 cm e raio da base de 6 cm, calcule:

   a. área lateral;
   b. área da base;
   c. área total;
   d. altura;
   e. volume.

Considerações finais

Esta obra foi elaborada com o intuito de revisar importantes conhecimentos matemáticos vistos no ensino fundamental e médio, trazendo conteúdos mais aprofundados, que serão úteis a futuros graduandos no ensino superior.

Cada capítulo abordou uma temática específica. Embora tenhamos seis tópicos diferentes da matemática, podemos perceber que os temas têm relação entre si. A trigonometria, por exemplo, é utilizada em diversas situações, mesmo quando o tema do tópico é a geometria.

O leitor pode, se desejar, aprofundar seus estudos buscando mais conteúdos sobre funções, que não foram exploradas nesta obra, já que optamos trabalhar apenas as equações e as inequações.

Propomos que todos os exercícios sejam resolvidos para que ocorra maior aprofundamento e fixação do aprendizado.

Referências

BRASIL. Lei n. 9.503, de 23 de setembro de 1997. **Diário Oficial da União**, Poder Legislativo, Brasília, DF, 24 set. 1997. Disponível em: <http://www.planalto.gov.br/ccivil_03/leis/l9503.htm>. Acesso em: 10 mar. 2020.

DEMANA, F. D. et al. **Pré-cálculo**. São Paulo: Addison Wesley, 2009.

DOLCE, O.; POMPEO, J. N. **Geometria espacial**. São Paulo: Atual, 1993. (Coleção Fundamentos de Matemática Elementar, v. 10).

DOLCE, O.; POMPEO, J. N. **Geometria plana**. São Paulo: Atual, 1993. (Coleção Fundamentos de Matemática Elementar, v. 9).

IEZZI, G. **Trigonometria**. São Paulo: Atual, 1993. (Coleção Fundamentos de Matemática Elementar, v. 3).

IEZZI, G.; DOLCE, O.; MURAKAMI, C. **Logaritmos**. São Paulo: Atual, 1993. (Coleção Fundamentos de Matemática Elementar, v. 2).

LEITE, A. E.; CASTANHEIRA, N. P. **Geometria plana e trigonometria**. Curitiba: InterSaberes, 2014. (Coleção Desmistificando a Matemática, v. 3).

LEITE, A. E.; CASTANHEIRA, N. P. **Logaritmos e funções**. Curitiba: InterSaberes, 2015. (Coleção Desmistificando a Matemática, v. 4).

OLIVEIRA, C. A. M. **Matemática**. Curitiba: InterSaberes, 2016. (Coleção EJA: Cidadania Competente, v. 6).

ROCHA, A; MACEDO, L. R. D.; CASTANHEIRA, N. P. **Tópicos de matemática aplicada**. Curitiba: InterSaberes, 2012. (Série Matemática Aplicada).

Bibliografia comentada

AXLER, S. **Pré-cálculo**: uma preparação para o cálculo. Tradução e revisão técnica de Maria Cristina Varriale e Naira Maria Balzaretti. 2. ed. Rio de Janeiro: LTC, 2016.

> O livro trata de diversos conceitos fundamentais da matemática, iniciando com a exploração do conjunto dos números reais. Além de abordar as equações e as funções, apresenta conceitos de séries e sequências, limites e sistemas de equações lineares. É uma obra bastante completa para o aluno que está iniciando seus estudos na área de exatas.

ROCHA, A; MACEDO, L. R. D.; CASTANHEIRA, N. P. **Tópicos de matemática aplicada**. Curitiba: InterSaberes, 2012. (Série Matemática Aplicada).

> Nessa obra, os autores exploram conceitos elementares de matemática. Abordam, ainda, conteúdos introdutórios (como conjuntos, operações, expressões e equações) e trabalham as funções e suas aplicações. O leitor pode também iniciar os estudos de cálculo diferencial e integral, conhecendo os limites e as derivadas.

MUNARETTO, A. C. **Descomplicando**: um novo olhar sobre a matemática elementar. Curitiba: InterSaberes, 2018. (Série Matemática em Sala de Aula).

> A obra traz conceitos básicos sobre conjuntos e conjuntos numéricos, equações, inequações, relações e funções. O leitor pode verificar diversos exemplos sobre o conteúdo explorado, além de praticar exercícios. As funções elementares aparecem no último capítulo do livro. Nele, o leitor pode fazer um paralelo entre equações polinomiais, trigonométricas, logarítmicas e exponenciais com o estudo das respectivas funções.

Respostas

CAPÍTULO 1

Atividades de autoavaliação

1) c
2) b
3) d
4) d
5) d
6) b
7) d
8) c
9) c
10) e

Atividades de aprendizagem

1) b = 6; c = 8
2) $5\sqrt{3}$
3) AB = $4\sqrt{3}$; AC = 4
4) 8
5) 6 cm
6) 3,5 km
7) 30 m
8)
 a. 2
 b. 9
9) $10 + 6\sqrt{5}$
10) $4\sqrt{3}$

CAPÍTULO 2

Atividades de autoavaliação

1) d
2) c
3) d
4) b
5) e
6) a
7) c
8) b
9) c
10) a

Atividades de aprendizagem

1)
 a. 16
 b. −125
 c. 1
 d. $\frac{1}{8}$
 e. 2

2)
 a. $3^2 \cdot 3^3 = 3^5$
 b. $2^3 \cdot 4 \cdot 8 = 2^3 \cdot 2^2 \cdot 2^3 = 2^8$

c. $x^2 : x^{-2} = x^{2-(-2)} = x^4$

d. $6^9 : 6^7 = 6^2$

e. $(x^2)^3 = x^6$

f. $x^{2^3} = x^8$

3)
a. $x = 3$
b. $x = -3$
c. $x = \dfrac{3}{2}$
d. $x = -\dfrac{7}{10}$
e. $x = 2$
f. $x = 2$
g. $S = \{-2, 9\}$
h. $x = 1$
i. $x = 0$

4) $x = 2$

5) $x > 6$

6)
a. 50
b. 200

c. 10

7) $m = 100;\ t = 27$

8)
a. 4
b. 3
c. -3
d. 3
e. -2
f. -3
g. 4
h. $\dfrac{2}{5}$
i. $\dfrac{4}{3}$
j. 3

9)
a. 0,70
b. 0,77
c. 1,77

10) 3

CAPÍTULO 3

Atividades de autoavaliação

1) b
2) c
3) e
4) a
5) e

6) a
7) b
8) a
9) c
10) d

Atividades de aprendizagem

1) 44
2) -196
3) 109

4) 1,6 e 11
5) 5
6) 2

7) 11 325

8) 50 km

9) 1 024

10) 5

11) 121

CAPÍTULO 4

Atividades de autoavaliação

1) c
2) c
3) c
4) a
5) b
6) d
7) d
8) d
9) a
10) c

Atividades de aprendizagem

1)
   a. 135°
   b. 210°
   c. −30°
   d. 960°

2)
   a. $\dfrac{\pi}{6}$ rad
   b. $\dfrac{5\pi}{3}$ rad
   c. $\dfrac{\pi}{3}$ rad
   d. $\dfrac{3\pi}{4}$ rad
   e. $\dfrac{11\pi}{6}$ rad

3) Figura à esquerda: 120° − 240° − 300°
   Figura central: 135° − 225° − 315°
   Figura à direita: 150° − 210° − 330°

4)
   a. 45°
   b. 315°
   c. 50°

5) $\text{sen}^2 x + \cos^2 x = 1$
   $\cos^2 x = 0{,}36$
   Como está no 1º quadrante, considera-se apenas o valor positivo: $\cos x = 0{,}6$
   $\text{tg } x = \dfrac{\text{sen } x}{\cos x} = 1{,}333\ldots$

6)
   a. $\dfrac{1}{2}$
   b. $\dfrac{\sqrt{3}}{2}$
   c. $-\dfrac{\sqrt{3}}{2}$
   d. −1

7)
   a. $-\dfrac{\sqrt{3}}{2}$
   b. $-\dfrac{1}{2}$
   c. $\dfrac{1}{2}$
   d. 0

8)
   a. $-\dfrac{\sqrt{3}}{3}$
   b. $-\sqrt{3}$
   c. $-\sqrt{3}$
   d. ∄

9) 4º Q = 280°

10) $\dfrac{\sqrt{3}}{2}$

11) Se analisarmos a figura a seguir, temos as duas possibilidades para o caso $\cos x = \dfrac{\sqrt{2}}{2}$, que são os ângulos representados. A solução será os arcos $\dfrac{\pi}{4}, \dfrac{7\pi}{4}$ e todos os côngruos a esses ângulos que se repetem a cada volta ou 2π.

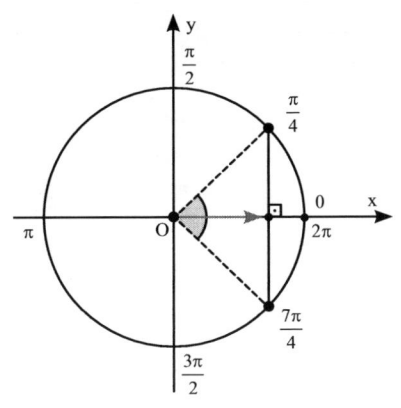

Logo: $S = \left\{ x \in \mathbb{R} : x = \dfrac{\pi}{4} + 2k\pi \text{ ou } x = \dfrac{7\pi}{4} + 2k\pi,\ k \in \mathbb{Z} \right\}$.

12) Se analisarmos a figura seguinte, temos as duas possibilidades para o caso $\tg x = \dfrac{\sqrt{3}}{3}$, que são os ângulos $\dfrac{\pi}{6}$ e $\dfrac{7\pi}{6}$ representados. A solução está entre os arcos $\dfrac{\pi}{6}, \dfrac{7\pi}{6}$ e todos os côngruos a esses ângulos que se repetem a cada volta ou 2π, $x = \dfrac{\pi}{6} + 2k\pi$ ou $x = \dfrac{7\pi}{6} + 2k\pi$, $k \in \mathbb{Z}$. Entretanto, para o caso da tangente, costuma-se utilizar solução única com meia volta.

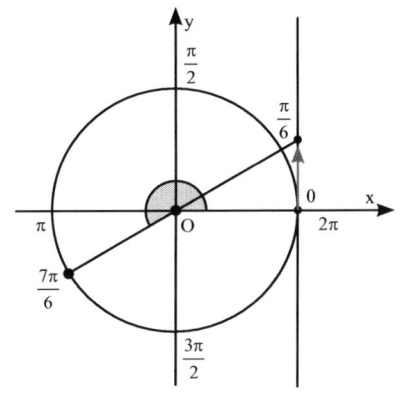

Portanto: $S = \left\{ x \in \mathbb{R} : x = \dfrac{\pi}{6} + k\pi,\ k \in \mathbb{Z} \right\}$.

13) Façamos um esboço da situação. Nesse caso, temos os valores positivos de 0 até $\dfrac{\pi}{3}$ e depois podemos completar a volta desde $\dfrac{2\pi}{3}$ até 2π.

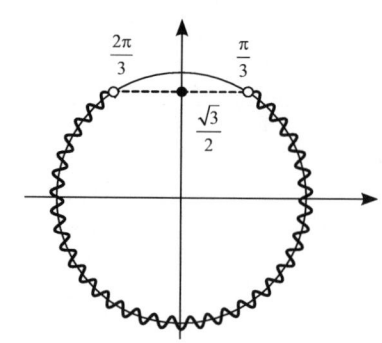

Assim: $S = \left\{ x \in \mathbb{R} : 0 \leq x < \dfrac{\pi}{3} \text{ ou } \dfrac{2\pi}{3} < x < 2\pi \right\}$

CAPÍTULO 5

Atividades de autoavaliação

1) V, F, F, V, V
2) trapézio
3) c
4) d
5) a
6) c
7) II – IV – I – V – III
8) d
9) e
10) d

Atividades de aprendizagem

1)
  a. 180 m
  b. 3 600 m
  c. 1 925 m²

2) 20 lados

3) 51,43°

4) $a = 5$ cm; $r = 5\sqrt{2}$ cm

5) $a = 6\sqrt{3}$ cm; $r = 12$ cm

6)
  a. 72 cm²
  b. 12,9 cm²
  c. 18 cm²
  d. 3,75 cm²
  e. 11,06 cm²

7) área = 297 cm²; perímetro = 63,4 cm

8)
  a. 62,8 cm
  b. 125,6 cm

9) 10π cm

10) $37,5\pi$ cm²

11) 20 cm

12) 72 cm

CAPÍTULO 6

Atividades de autoavaliação

1)	a	10)	e
2)	d	11)	a
3)	e	12)	2
4)	a	13)	a
5)	d	14)	c
6)	c	15)	d
7)	b	16)	e
8)	b	17)	d
9)	b	18)	a

Atividades de aprendizagem

1) $51,15 \text{ cm}^3 = 0,05115 \text{ L}$

2) $28\,000\pi \text{ cm}^3$

3) $144\pi \text{ cm}^2$

4)
   a. $60\pi \text{ cm}^2$
   b. $36\pi \text{ cm}^2$
   c. $96\pi \text{ cm}^2$
   d. 8 cm^2
   e. $96\pi \text{ cm}^2$

Sobre os autores

Ana Paula de Andrade Janz Elias é doutoranda em Educação pela Pontifícia Universidade Católica do Paraná (PUC-PR) desde 2019; mestre em Ensino de Ciências e Matemática (2018) pela Universidade Tecnológica Federal do Paraná (UTFPR); especialista em Inovação e Tecnologias na Educação (2019) pela UTFPR, em Psicopedagogia Clínica e Institucional (2016) e em Psicomotricidade (2016) pelo Grupo Rhema; licenciada em Matemática (2005) pela Universidade Federal do Paraná (UFPR); e graduanda de Licenciatura em Pedagogia pelo Centro Universitário Internacional Uninter desde 2019. É membro do Grupo de Pesquisas sobre Tecnologias na Educação Matemática (GPTEM) desde 2016; do Grupo de Pesquisa em Inovação e Tecnologias na Educação (GPINTEDUC) desde 2017; e do Grupo de Pesquisa Criatividade e Inovação Docente no Ensino Superior (CIDES) desde 2019.

Denise Therezinha Rodrigues Marques Wolski é doutora em Educação (2017) pela Universidade Estadual de Ponta Grossa (UEPG); mestre em Educação (2007) pela UFPR; especialista em Educação Matemática: fundamentos teórico-metodológicos (2005) pela UEPG; e licenciada em Matemática (2000) pela UEPG. Tem experiência profissional na educação básica e no ensino superior e atua na área de educação, com ênfase nos processos de formação de professores. É professora dos cursos de licenciatura e bacharelado em Matemática do Centro Universitário Internacional Uninter.

Flavia Sucheck Mateus da Rocha é doutoranda em Educação em Ciências e em Matemática pela UFPR; mestre em Educação em Ciências e em Matemática (2018) pela UFPR; especialista em Metodologia do Ensino de Matemática pela (2017) Faculdade Educacional da Lapa (Fael); e licenciada em Matemática (2004) pela PUC-PR. É professora do Centro Universitário Internacional Uninter, na Escola Superior de Educação, e membro do GPTEM e do GPINTEDUC.

Otto Henrique Martins da Silva é doutorando em Educação pela PUC-PR; mestre em Educação (2006) pela UFPR; especialista em Matemática para Professores do Ensino Médio (2005) pela UFPR e em Tutoria para a Educação a Distância (2008) pelo Centro Universitário Internacional Uninter; licenciado (2002) e bacharel (2003) em Física pela UFPR e licenciado em Matemática (2000) pela PUC-PR. É professor da Secretaria de Estado da Educação e do curso de Física da PUC-PR e tem experiência nas áreas de tecnologias educacionais, ensino de física, ensino de matemática e ensino à distância, atuando principalmente nos seguintes temas: tecnologias educacionais aplicadas ao ensino presencial e à distância, história e filosofia das ciências, transposição didática e conhecimento escolar. Autor de livros didáticos.

Paulo Martinelli é mestre em Informática Aplicada (2002) pela PUC-PR; pós-graduado em Processamento de Dados (1990) e em Organização, Sistemas e Métodos (1992) pela Faculdades Spei e em Metodologia do Ensino Superior (1997) pela Faculdades Positivo; e graduado em Matemática (1982) pela PUC-PR. É coordenador dos cursos de educação à distância de licenciatura e bacharelado em Matemática; de licenciatura e bacharelado em Física e de licenciatura e bacharelado em Química do Centro Universitário Internacional Uninter. Tem experiência como diretor administrativo e pedagógico e como coordenador dos cursos de Tecnologia em Redes de Computadores e de bacharelado em Sistemas de Informação. Também atua nas áreas de educação, matemática, estatística e tecnologia e é consultor em informática para gestão empresarial. Desenvolve ainda trabalho voluntário para terceira idade em informática.

Taniele Loss é doutoranda em Ensino de Ciências e Matemática pela UTFPR; mestre em Ensino de Ciências e Matemática (2018) pela UTFPR; especialista em Metodologia do Ensino de Matemática (2011) pela Faculdade de Administração, Ciências, Educação e Letras do Paraná (Facel-PR); e Licenciada em Matemática (2002) pela UTFPR. É professora de Matemática dos anos finais do ensino fundamental da rede municipal de ensino de Curitiba e tutora dos cursos de licenciatura e bacharelado em Matemática do Centro Universitário Internacional Uninter. Membro do GPTEM e do GPINTEDUC.

Zaudir Dal Cortivo é doutor em Métodos Numéricos em Engenharia (2015) pela UFPR; mestre em Métodos Numéricos em Engenharia (2005) pela UFPR; licenciado e bacharel em Matemática (1986) pela PUC-PR. É professor da Secretaria de Estado da Educação do Paraná e do Centro Universitário Internacional Uninter. Tem experiência com ensino fundamental, médio e graduação e na área de estatística nos seguintes temas: controle de qualidade e estatística multivariada.

Impressão:
Março/2020